春秋經傳集解成上第十二（陸云成公名黑肱宣公子謚法安民立政曰成）

杜氏　盡十年

經元年春王正月公即位（無傳）〇二月辛酉葬我君宣公（無傳）〇無氷（無傳周二月今之十二月而無氷書冬溫）〇三月作丘甲（周禮九夫爲井四井爲邑四邑爲丘丘十六井出戎馬一匹牛三頭四丘爲甸甸六十四井出長轂一乘戎馬四匹牛十二頭甲士三人步卒七十二人此甸所賦今魯使丘出之譏重斂故書〔甸〕徒練切又繩證切〔乘〕繩證切〔卒〕尊忽切〔斂〕力驗切）〇夏臧孫許及晉侯盟于赤棘（晉地）〇秋王師敗績于茅戎（茅戎戎別也不言戰王者至尊天下莫之得校故以自敗爲文不書敗地而書茅戎明爲茅戎所敗書秋從告〔茅〕亡交切史記及二傳皆作貿戎〔踵〕章勇切）〇冬十月

傳元年春晉侯使瑕嘉平戎于王（平文十七年邥垂之役詹嘉處瑕故謂之瑕嘉〔邥〕音審〔詹〕之廉切）單襄公如晉拜成（單襄公王卿士謝晉爲平戎〔單〕音善〔爲〕于僞切下文同）劉康公徼戎將遂伐之（康公王季子也戎平還欲要其無備〔徼〕古堯切要也〔要〕一遥切）叔服曰背盟而欺大國此必敗（叔服周內史〔背〕音佩下同）背盟不祥欺大國不義神人弗助將何以勝不聽遂伐茅戎三月癸未敗績于徐吾氏（徐吾氏茅戎之別也）〇

爲齊難故作丘甲（前年魯乞師於楚欲以伐齊楚師不出故懼而作丘甲〔難〕乃旦切下同）〇聞齊將出楚師夏盟于赤棘（與晉盟懼齊楚）〇秋王人來告敗（解經所以秋乃書）〇冬臧宣叔令脩賦繕完（治完城郭〔繕〕市戰切〔完〕和端切）具守備曰齊楚結好我新與晉盟晉楚爭盟齊師必至雖晉人伐齊楚必救之是齊楚同我也（同共也〔守〕手又切〔好〕呼報切）知難而有備乃可以逞（逞解也爲二年齊侯伐我傳〔解〕音蟹）

經二年春齊侯伐我北鄙〇夏四月丙戌衛孫良夫帥師及齊師戰于新築衛師敗績（新築衛地皆陳曰戰大崩曰敗績四月無丙戌丙戌五月一日〔築〕音竹〔陳〕直覲切）〇六月癸酉季孫行父臧孫許叔孫僑如公孫嬰齊帥師會晉郤克衛孫良夫曹公子首及齊侯戰于鞌齊師敗績（魯乞師於晉而不以與謀之例者從盟主之令上行於下非匹敵和成之類例在宣七年曹大夫常不書而書公子首者首命於國備於禮成爲卿故也鞌齊地〔僑〕其僑切〔郤〕去逆切〔鞌〕音安〔與〕音預〔敵〕如字一本或作適亦音敵）〇秋七月齊侯使國佐如師己酉及國佐盟于袁婁（穀梁曰鞌去齊五百里袁婁去齊五十里）〇八月

壬午宋公鮑卒未同盟而赴以名鮑步卯切○庚寅衛侯速卒宣十七年盟于斷道據傳
庚寅九月七日○取汶陽田晉使齊還魯故書取不以好得故不言歸汶音問好呼報切○冬楚師
鄭師侵衛子重不書不親伐○十有一月公會楚公子嬰齊于蜀公與大夫
會不貶嬰齊者時有許蔡之君故○丙申公及楚人秦人宋人陳人衛人鄭人
齊人曹人邾人薛人鄫人盟于蜀齊在鄭下非卿傳曰卿不書匱盟也然則楚卿於是始與
中國準自此以下楚卿不書皆貶惡也匱其位切
傳二年春齊侯伐我北鄙圍龍龍魯邑在泰山博縣西南頃公之嬖人盧蒲
就魁門焉攻龍門也頃音傾嬖必計切魁苦回切龍人囚之齊侯曰勿殺吾與而
盟無入而封封竟竟音境弗聽殺而膊諸城上膊磔也膊普各切磔陟百切齊侯
親鼓士陵城三日取龍遂南侵及巢丘取龍侵巢丘不書其義未聞衛侯使
孫良夫石稷甯相向禽將侵齊與齊師遇齊伐魯還相遇於衛地良夫孫林父之父
石稷石碏四世孫甯相甯俞子相息亮切向舒亮切碏七略切俞羊朱切石子欲還孫子曰不可以師
伐人遇其師而還將謂君何言無以答君若知不能則如無出今既
遇矣不如戰也夏有闕文失新築戰事石成子曰師敗矣子不少須衆
懼盡成子石稷也衛師已敗而孫良夫復欲戰故成子欲使須救復扶又切子喪師徒何以復命
皆不對又曰子國卿也隕子辱矣隕見禽獲隕于敏切喪息浪切子以衆退我
此乃止我於此止禦齊師禦魚呂切且告車來甚衆新築人救孫桓子故竝告令軍中齊師
乃止次于鞫居鞫居衛地鞫居六切新築人仲叔于奚救孫桓子桓子是
以免于奚守新築大夫既衛人賞之以邑賞于奚辭請曲縣軒縣也周禮天子樂宮縣
四周諸侯軒縣闕南方縣音玄注同繁纓以朝許之繁纓馬飾皆諸侯之服繁步干切注同仲尼聞
之曰惜也不如多與之邑唯器與名不可以假人器車服名爵號君之
所司也名以出信名位不愆爲民所信愆起虔切信以守器動不失信則車服可保器以
藏禮車服所以表尊卑禮以行義尊卑有禮各得其宜義以生利得其宜則利生利以平
民政之大節也若以假人與人政也政亡則國家從之弗可止
也已孫桓子還於新築不入不入國遂如晉乞師臧宣叔亦如晉
乞師皆主郤獻子宣十七年郤克至齊爲婦人所笑遂怒故魯衛因之孫桓子臧宣叔皆不以國命各自請

郤克故不書 晉侯許之七百乘 (乘)繩證切下同五萬二千五百人 郤子曰此城濮之賦也 城濮在僖二十八年(濮)音卜 有先君之明與先大夫之肅故捷克於先大夫無能爲役 不中爲之役使 請八百乘許之 六萬人 郤克將中軍士燮佐上軍 范文子代荀庚(將)子匠切 欒書將下軍 代趙朔 韓厥爲司馬以救魯衛臧宣叔逆晉師且道之季文子帥師會之及衛地韓獻子將斬人郤獻子馳將救之至則既斬之矣郤子使速以徇告其僕曰吾以分謗也 不欲使韓氏獨受謗(道)音導(徇)似俊切 師從齊師于莘 莘齊地(莘)所巾切 六月壬申師至于靡笄之下 靡笄山名(靡)如字又音摩(笄)音雞 齊侯使請戰曰子以君師辱於敝邑不腆敝賦詰朝請見 詰朝平旦(腆)他典切(詰)起吉切(朝)如字注及下朝夕朝食同(見)賢遍切 對曰晉與魯衛兄弟也來告曰大國朝夕釋憾於敝邑之地 大國謂齊敝邑魯衛自稱(憾)胡暗切本又作感 寡君不忍使羣臣請於大國無令輿師淹於君地 輿衆也淹久也(令)力呈切(帥)如字下無令輿師同一音所類切 能進不能退君無所辱命 言自欲戰不復須君命(復)扶又切 齊侯曰大夫之許寡人之願

也若其不許亦將見也齊高固入晉師桀石以投人 桀擔也(擔)丁甘切 禽之而乘其車 既獲其人因釋己車而載所獲者車 繫桑本焉以徇齊壘 將至齊壘以桑樹繫車而走欲自異(壘)力軌切 曰欲勇者賈余餘勇 賈買也言己勇有餘欲賣之(賈)音古注同(賣)摩懈切 癸酉師陳于鞌邴夏御齊侯逢丑父爲右晉解張御郤克鄭丘緩爲右齊侯曰余姑翦滅此而朝食 姑且也翦盡也(陳)直覲切(邴)音丙又彼命切(夏)戶雅切(解)音蟹(張)如字又直亮切 不介馬而馳之 介甲也 郤克傷於矢流血及屨未絕鼓音 中軍將自執旗鼓故雖傷而擊鼓不息(將)子匠切下將在左同 曰余病矣張侯曰自始合而矢貫余手及肘余折以御左輪朱殷豈敢言病吾子忍之 張侯解張也朱血色血色久則殷殷音近烟今人謂赤黑爲殷色言血多污車輪御猶不敢息(貫)直亂切下注同(肘)竹九切(折)之設切(殷)於閑切徐於辰切注同(近)附近之近(污)汙穢之汙字林一故切 緩曰自始合苟有險余必下推車子豈識之然子病矣 以其不識己推車(推)昌誰切又他回切注及下推車同 張侯曰師之耳目在吾旗鼓進退從之此車一人殿之可以集事 殿鎮也集成也(殿)多練切注同 若之何其以病 陸云絕句 敗君之大事也擐甲執兵

固即死也（擐貫也即就也擐音患）病未及死吾子勉之左并轡右援枹而
鼓馬逸不能止師從之（晉師從郤克軍并必政切徐方聘切援音爰枹音浮鼓槌也字林云擊鼓柄也）
（本亦作桴）齊師敗績逐之三周華不注（華不注山名華如字又戶化切注之住切）韓厥夢
子輿謂己曰且辟左右（子輿韓厥父）故中御而從齊侯（居中代御者自非元帥御
者皆在中將在左帥所類切）邴夏曰射其御者君子也公曰謂之君子而射
之非禮也（齊侯不知戎禮射食亦切下并注皆同）射其左越于車下（越隊也隊直類切）射
其右斃于車中綦毋張喪車從韓厥曰請寓乘（綦毋張晉大夫寓寄也綦音其
毋音無喪息浪切乘繩證切）從左右皆肘之使立於後（以左右皆死不欲使立其處處昌慮切）
韓厥俛定其右（俛俯也右被射仆車中故俯安隱之俛音勉仆音赴又蒲北切）逢丑父與公易
位（居公處）將及華泉驂絓於木而止（驂馬絓也絓戶化切絓古卦切一音卦驂七南切）丑
父寢於轏中（轏士車轏仕產切又仕板切字林仕諫切云臥車也）蛇出於其下以肱擊之
傷而匿之故不能推車而及（為韓厥所及丑父欲為右故匿其傷肱古弘切匿女力切注同）韓
厥執縶馬前（縶馬絆也執之示脩臣僕之職縶張立切絆音半）再拜稽首奉觴加璧以

進（進觴璧亦以示敬觴式羊切）曰寡君使羣臣為魯衛請曰無令輿師陷入
君地（本但為二國救請不欲乃過入君地謙辭為于偽切注同令力呈切）下臣不幸屬當戎行無
所逃隱（屬適屬音燭注同行下郎切）且懼奔辟而忝兩君臣辱戎士（若奔辟則為辱
晉君并為齊侯羞故言二君此蓋韓厥自處臣僕謙敬之飾言辟音避注同徐扶臂切服氏扶赤切）敢告不敏攝
官承乏（言欲以己不敏攝承空乏從君俱還從才用切又如字）丑父使公下如華泉取飲
鄭周父御佐車宛茷為右載齊侯以免（佐車副車宛紆元切茷扶廢切）韓厥獻
丑父郤獻子將戮之呼曰自今無有代其君任患者有一於此
將為戮乎郤子曰人不難以死免其君我戮之不祥赦之以勸
事君者乃免之齊侯免求丑父三入三出（重其代己故三入晉軍求之呼火故切任
音壬難乃旦切）每出齊師以帥退入于狄卒（齊師大敗皆有退心故齊侯輕出其衆以帥厲退者）
（遂迸入狄卒狄卒者狄人從晉討齊者卒子忽切注同輕遣政切迸補諍切）狄卒皆抽戈楯冒之以
入于衛師衛師免之（狄衛畏齊之彊故不敢害齊侯皆共免護之楯食準切又音允冒亡報切）遂自
徐關入齊侯見保者曰勉之齊師敗矣（所過城邑皆勉勸其守者）辟女子（使辟

君也齊侯單還故婦人不辟之辟音避注下同一音扶亦切單音丹女子曰君免乎曰免矣曰銳
司徒免乎曰免矣銳司徒主銳兵者銳悅歲切曰苟君與吾父免矣可若何
言餘人不可復如何復扶又切乃奔走辟君齊侯以為有禮先問君後問父故也既而問之
辟司徒之妻也辟司徒主壘壁者辟音壁必覓切注同徐甫亦切予之石窌石窌邑名濟北盧縣
東有地名石窌窌力救切一音力到切晉師從齊師入自丘輿擊馬陘丘輿馬陘皆齊邑陘
音刑齊侯使賓媚人賂以紀甗玉磬與地媚人國佐也甗玉甑皆滅紀所得媚美冀切賂
音路甗魚輦切徐音彥又音言字林牛健切甑子孕切又慈陵切不可則聽客之所為賓媚人
致賂晉人不可曰必以蕭同叔子為質同叔蕭君之字齊侯外祖父子女也難斥言其
母故遠言之質音致下同難乃旦切而使齊之封內盡東其畝使壟畝東西行盡津忍切壟力
勇切行戶郎切又如字對曰蕭同叔子非他寡君之母也若以匹敵則亦
晉君之母也吾子布大命於諸侯而曰必質其母以為信其若
王命何言違王命且是以不孝令也詩曰孝子不匱永錫爾類詩大雅言
孝心不乏者又能以孝道長賜其志類若以不孝令於諸侯其無乃非德類也乎
不以孝德賜同類先王疆理天下物土之宜而布其利疆界也理正也物土之宜播殖
之物各從土宜疆居良切注下皆同故詩曰我疆我理南東其畝詩小雅或南東從其土宜或
今吾子疆理諸侯而曰盡東其畝而已唯吾子戎車是利晉之伐齊
循壟東行易易以豉切無顧土宜其無乃非先王之命也乎反先王則不
義何以為盟主其晉實有闕闕失四王之王也禹湯文武王于況切下樹德而
濟同欲焉樹立也濟成也五伯之霸也夏伯昆吾商伯大彭豕韋周伯齊桓晉文釋文或曰齊桓晉文
宋襄秦穆楚莊勤而撫之以役王命役事也今吾子求合諸侯以逞無疆
之欲疆竟也竟如字又音境詩曰布政優優百祿是遒詩頌殷湯布政優和故百祿來聚遒
聚也遒在由切徐子由切子實不優而棄百祿諸侯何害焉言不能為諸侯害不然
不見許寡君之命使臣則有辭矣曰子以君師辱於敝邑不腆敝
賦以犒從者戰而曰犒為孫辭使所吏切犒苦報切從才用切畏君之震師徒橈敗震動
橈曲也橈乃教切吾子惠徼齊國之福不泯其社稷使繼舊好唯是先
君之敝器土地不敢愛子又不許請收合餘燼燼火餘木燼[illegible]忍切好呼報切

合如字一音閤燼似刃切背城借一 欲於城下復借一戰背音佩復扶又切 敝邑之幸亦云從
也況其不幸敢不唯命是聽 言完全之時尚不敢違晉今若不幸則從命 魯衛諫曰
齊疾我矣 諫郤克也 其死亡者皆親暱也子若不許讎我必甚唯子
則又何求子得其國寶 謂甗磬暱女乙切 我亦得地 齊歸所侵 而紓於難 齊服
則難緩紓音舒緩也一音直呂切難乃旦切注同 其榮多矣齊晉亦唯天所授豈必晉
晉人許之對曰羣臣帥賦輿 賦輿猶兵車 以爲魯衛請若苟有以藉
口而復於寡君 藉薦復白也爲于僞切藉在夜切注同 君之惠也敢不唯命是聽
禽鄭自師逆公 禽鄭魯大夫歸逆公會晉師 秋七月晉師及齊國佐盟于爰
婁使齊人歸我汶陽之田公會晉師于上鄍 上鄍地闕公會晉師不書史闕鄍覓
經切 賜三帥先路三命之服 三帥郤克士燮欒書已嘗受王先路之賜今改而易新并此車所建所服
之物帥所類切注及下同 司馬司空輿帥候正亞旅皆受一命之服 晉司馬司空皆
大夫輿帥主兵車候正主斥候亞旅亦大夫也皆魯侯賜 ○八月宋文公卒始厚葬用蜃炭
益車馬始用殉 燒蛤爲炭以瘞壙多埋車馬用人從葬蜃市忍切蛤也炭吐旦切殉似俊切蛤古荅切瘞於例

切壙苦晃切一音曠 重器備 重猶多也重直恭切注同 椁有四阿棺有翰檜 四阿四注椁也翰旁
飾檜上飾皆王禮椁音郭翰戶旦切一音韓檜古外切徐音會 君子謂華元樂舉於是乎不臣
臣治煩去惑者也是以伏死而爭今二子者君生則縱其惑 謂文
十八年殺母弟須去起呂切下去之同爭爭鬭之爭 死又益其侈是棄君於惡也何臣之
爲 君言何用爲臣侈昌氏切又式氏切 ○九月衛穆公卒晉三子自役弔焉哭於
大門之外 師還過衛故因弔之未復命故不敢成禮過古禾切又古卧切 衛人逆之 逆於門外設喪位
婦人哭於門內 喪位婦人哭於堂賓在門外故發在門內 送亦如之遂常以葬 至葬行此
禮○楚之討陳夏氏也 在宣十一年夏戶雅切下同 莊王欲納夏姬申公巫
臣曰不可君召諸侯以討罪也今納夏姬貪其色也貪色爲淫
淫爲大罰周書曰明德慎罰 周書康誥 文王所以造周也明德務崇
之之謂也慎罰務去之之謂也若興諸侯以取大罰非慎之也
君其圖之王乃止子反欲取之巫臣曰是不祥人也是夭子蠻
子蠻鄭靈公夏姬之兄殺死無後殺申志切下文殺靈侯同 殺御叔 御叔夏姬之夫亦殺靈早死御魚據切

侯(陳靈公)戮夏南(夏姬子御叔)出孔儀(孔寧儀行父)喪陳國(楚滅陳〔喪〕息浪切下注而喪同)何不祥如是人生實難其有不獲死乎(言死易得無爲取夏姬召速之〔易〕以豉切)天下多美婦人何必是子反乃止王以予連尹襄老襄老死於邲不獲其尸(邲戰在宣十二年)其子黑要烝焉(黑要襄老子〔要〕一遥切〔烝〕之承切)巫臣使道焉曰歸吾聘女(道夏姬使歸鄭〔道〕音導注同〔聘〕匹政切〔女〕音汝)又使自鄭召之曰尸可得也(襄老尸)必來逆之姬以告王王問諸屈巫(屈巫巫臣〔屈〕居勿切)對曰其信知罃之父成公之嬖也而中行伯之季弟也(知罃父荀首也中行伯荀林父也邲之戰楚人囚知罃〔知〕音智〔罃〕於耕切)新佐中軍而善鄭皇戌甚愛此子(愛知罃也)其必因鄭而歸王子與襄老之尸以求之(王子楚公子穀臣也邲之戰荀首囚之)鄭人懼於邲之役而欲求媚於晉其必許之王遣夏姬歸將行謂送者曰不得尸吾不反矣巫臣聘諸鄭鄭伯許之(聘夏姬)及共王即位將爲陽橋之役(楚伐魯至陽橋在此年冬〔共〕音恭)使屈巫聘于齊且告師期巫臣盡室以行(室家盡去)申叔跪從其父將適郢遇之(叔跪申叔時之

子〔跪〕其委切一音居委切〔從〕才用切〔郢〕以井切又以政切)曰異哉夫子有三軍之懼而又有桑中之喜宜將竊妻以逃者也(桑中衛風淫奔之詩)及鄭使介反幣而以夏姬行(介副也幣聘物〔介〕音界)將奔齊齊師新敗曰吾不處不勝之國遂奔晉而因郤至(郤至郤克族子)以臣於晉晉人使爲邢大夫(邢晉邑〔邢〕音刑)子反請以重幣錮之(禁錮勿令仕〔錮〕音固〔令〕力呈切)王曰止其自爲謀也則過矣其爲吾先君謀也則忠忠社稷之固也所蓋多矣(蓋覆也[illegible]〔爲〕于僞切又如字〔下〕〔爲〕于僞切)且彼若能利國家雖重幣晉將可乎(言不許)若無益於晉晉將棄之何勞錮焉(爲七年楚滅巫臣族晉南通吳張本○)晉師歸范文子後入武子曰無爲吾望爾也乎(武子士會文子之父)對曰師有功國人喜以逆之先入必屬耳目焉是代帥受名也故不敢武子曰吾知免矣(知其不益己禍〔屬〕章欲切後同〔帥〕所類切下注稱帥軍帥將帥同吾知一本無知字)郤伯見公曰子之力也夫對曰君之訓也二三子之力也臣何力之有焉(郤伯郤克〔見〕賢遍切下同〔夫〕音扶)范叔見勞之如郤伯對曰庚所命也克之制也燮何力之有

[illegible]

下多美婦人何必是[illegible]

何不祥如是人生[illegible]

[illegible]

焉 荀庚將上軍時不出范文子上軍佐代行故稱帥以讓 勞力報切 將子匠切下同 欒伯見公亦如之對曰燮之詔也士用命也書何力之有焉 詔告也欒書下軍帥故推功上軍傳言晉將帥克讓所以能勝齊 ○宣公使求好于楚莊王卒宣公薨不克作好 在宣十八年 好呼報切下同 公即位受盟于晉 元年盟赤棘 會晉伐齊衛人不行使于楚 不聘楚 使所吏切 而亦受盟于晉從於伐齊故楚令尹子重為陽橋之役以救齊將起師子重曰君弱 傳曰寡人生十年而喪先君共王即位至是三年蓋年十二三矣 羣臣不如先大夫師衆而後可詩曰濟濟多士文王以寧 詩大雅言文王以衆士安寧 濟子禮切 夫文王猶用衆況吾儕乎 儕等 儕仕皆切 且先君莊王屬之曰無德以及遠方莫如惠恤其民而善用之乃大戶閱民戶口 閱音悅 已責 棄逋責 逋補吳切 逮鰥 施及老鰥 鰥古頑切 施始豉切 救乏赦罪悉師王卒盡行彭名御戎蔡景公為左許靈公為右 王卒盡行故王戎車亦行雖無楚王令二君當左右之位 卒子忽切注同 令力呈切 二君弱皆強冠之冬楚師侵衛遂侵我師于蜀 公賂之而退故不書侵 強其丈切 冠古亂切 使臧孫往 臧孫宣叔也 辭曰楚遠

而久固將退矣無功而受名臣不敢 不敢虛受退楚名 楚侵及陽橋 陽橋魯地 孟孫請往賂之 楚侵遂深故孟孫請以賂往孟孫獻子也 以執斲執鍼織紝 執斲匠人執鍼女工織紝繒布者 斲竹角切 鍼之林切 紝女金切徐而鴆切 皆百人公衡為質 公衡成公子 質音致 以請盟楚人許平十一月公及楚公子嬰齊蔡侯許男秦右大夫說宋華元陳公孫寧衛孫良夫鄭公子去疾及齊國之大夫盟于蜀 齊大夫不書其名非卿也 說音悅 去起呂切 卿不書匱盟也於是乎畏晉而竊與楚盟故曰匱盟 匱乏也 蔡侯許男不書乘楚車也謂之失位 乘楚王車為左右則失位也卿不書則稱人諸侯不書皆不見經君臣之別 見賢遍切 別彼列切 君子曰位其不可不慎也乎蔡許之君一失其位不得列於諸侯況其下乎詩曰不解于位民之攸塈 詩大雅言在上者勤正其位則國安而民息也攸所也塈息也 解佳賣切 塈許器切 其是之謂矣楚師及宋公衡逃歸臧宣叔曰衡父不忍數年之不宴 宴樂也 數所主切 樂音洛 以棄魯國國將若之何誰居後之人必有任是夫國棄矣 居辭也言後人必有當此患 居音基 任音壬 夫音扶 是行也晉辟楚畏

有是夫國樂矣[illegible]
子之不實[illegible]以棄[illegible]國[illegible]何[illegible]人[illegible]
[illegible]
詩曰不鮮[illegible]五[illegible]民之[illegible]
不可不慎也乎[illegible]奉者之善一夫其亡不[illegible]
[illegible]
[illegible]
[illegible]大夫不書[illegible]
[illegible]
以[illegible]一月[illegible]
[illegible]
[illegible]
[illegible]

其衆也君子曰衆之不可以已也大夫爲政猶以衆克況明君
而善用其衆乎大誓所謂商兆民離周十人同者衆也大誓周書萬億
曰兆民離則弱合則成衆言紂以散亡周以衆興○晉侯使鞏朔獻齊捷于周王弗見使
單襄公辭焉曰蠻夷戎狄不式王命式用也捷在妾切淫湎毀常王命
伐之則有獻捷王親受而勞之所以懲不敬勸有功也兄弟甥
舅侵敗王略兄弟同姓國甥舅異姓國略經略法度湎而善切勞力報切敗必邁切王命伐之告
事而已不獻其功所以敬親暱告代事而不獻因倂暱女乙切禁淫慝也淫慝爲越
捷百姓取因倂也慝他得切越本又作暴薄報切遄音亮今叔父克遂有功于齊克能也而不
使命卿鎮撫王室所使來撫余一人而鞏伯實來未有職司於
王室鞏朔上軍大夫非命卿名位不達於王室又奸先王之禮謂獻齊捷奸音干余雖欲於
鞏伯欲受其獻其敢廢舊典以忝叔父夫齊甥舅之國也而大師之
後也齊世與周昏故曰甥舅大音泰寧不亦淫從其欲以怒叔父抑豈不可諫
誨士莊伯不能對莊伯鞏朔從子用切本亦作縱王使委於三吏委屬也三吏三公也

天子之吏也禮之如侯伯克敵使大夫告慶之禮降於卿禮一等王
以鞏伯宴而私賄之使相告之曰非禮也勿籍相相禮者籍書也王畏晉故私
宴賄以慰鞏朔相息亮切注同
經三年春王正月公會晉侯宋公衛侯曹伯伐鄭宋衛未葬而稱爵以接鄰
國非禮也○辛亥葬衛穆公無傳○二月公至自伐鄭無傳○甲子新宮災
三日哭無傳三年喪畢宣公神主新入廟故謂之新宮書三日哭善得禮宗廟親之神靈所馮居而遇災故哀而哭之
馮皮冰切○乙亥葬宋文公無傳七月而葬緩○夏公如晉○鄭公子去疾
帥師伐許○公至自晉無傳○秋叔孫僑如帥師圍棘棘汶陽田之邑在濟
北蛇丘縣蛇以支切一音如字○大雩無傳以過時書○晉郤克衛孫良夫伐廧咎如
赤狄別種廧在良切咎古刀切種章勇切○冬十有一月晉侯使荀庚來聘○衛侯使
孫良夫來聘○丙午及荀庚盟○丁未及孫良夫盟先晉後衛尊霸主
○鄭伐許無傳不書將帥告辭略將子匠切帥所類切
傳三年春諸侯伐鄭次于伯牛討邲之役也伯牛鄭地邲役在宣十二年遂

東侵鄭晉潛軍深入鄭公子偃帥師禦之偃穆公子使東鄙覆諸鄤覆伏兵也
覆扶又切注同鄤亡袁切又莫干切徐武旦切一音萬敗諸丘輿鄤丘輿皆鄭地晉偏軍爲鄭所敗故不書皇
戌如楚獻捷○夏公如晉拜汶陽之田前年晉使齊歸魯汶陽田故○許恃楚
而不事鄭鄭子良伐許○晉人歸公子穀臣與連尹襄老之尸
于楚以求知罃邲之戰楚獲知罃於是荀首佐中軍矣荀首知罃父故楚人
許之王送知罃曰子其怨我乎對曰二國治戎臣不才不勝其
任以爲俘馘執事不以釁鼓以血塗鼓爲釁鼓勝音升下注同俘芳夫切馘古獲切釁許覲切
使歸即戮君之惠也臣實不才又誰敢怨王曰然則德我乎對
曰二國圖其社稷而求紓其民紓緩也紓音舒各懲其忿以相宥也宥赦
也懲直升切宥音又兩釋纍囚以成其好纍繫也纍力追切好呼報切下同二國有好臣
不與及其誰敢德言二國本不爲己與音預爲于僞切王曰子歸何以報我對曰
臣不任受怨君亦不任受德無怨無德不知所報王曰雖然必
告不穀對曰以君之靈纍臣得歸骨於晉寡君之以爲戮死且
不朽戮其不勝任任音壬下亦不任同若從君之惠而免之以賜君之外臣首
稱於異國君曰外臣首其請於寡君而以戮於宗亦死且不朽若不獲命
君不許戮而使嗣宗職嗣其祖宗之位職次及於事而帥偏師以脩封疆雖
遇執事遇楚將帥將居良切其弗敢違違辟也其竭力致死無有二心以
盡臣禮所以報也王曰晉未可與爭重爲之禮而歸之○秋叔
孫僑如圍棘取汶陽之田棘不服故圍之僑如叔孫得臣子○晉郤克
衛孫良夫伐廧如討赤狄之餘焉宣十五年晉滅赤狄潞氏其餘民散入廧咎如故討之
廧咎如潰上失民也此傳釋經之文而經無廧咎如潰蓋經闕此四字潰戶內切○冬十一
月晉侯使荀庚來聘且尋盟尋元年赤棘盟荀庚林父之子衛侯使孫良夫來
聘且尋盟尋宣七年盟公問諸臧宣叔曰仲行伯之於晉也其位在
三下卿孫子之於衛也位爲上卿將誰先對曰次國之上卿當大
國之中中當其下下當其上大夫降一等小國之上卿當大國之
下卿中當其上大夫下當其下大夫降大國二等上下如是古之制

也古制公為大國侯伯為次國子男為小國衛在晉不得為次國春秋時以強弱為大小故衛雖侯爵猶為小國晉為盟主其將先之計等則二人位敵以盟主故先晉丙午盟晉丁未盟衛禮也○十二月甲戌晉作六軍為六軍僭王也萬二千五百人為軍僭子念切韓厥趙括鞏朔韓穿荀騅趙旃皆為卿賞鞏之功也韓厥為新中軍趙括佐之鞏朔為新上軍韓穿佐之荀騅為新下軍趙旃佐之晉舊自有三軍今增此故為六軍騅音佳○齊侯朝于晉將授玉行朝禮郤克趨進曰此行也君為婦人之笑辱也寡君未之敢任言齊侯之來以謝婦人之笑非為脩好故云晉君不任當此惠為于偽切及下為兩君同任音壬晉侯享齊侯齊侯視韓厥韓厥曰君知厥也乎齊侯曰服改矣戎朝異服也言服改明識其人韓厥登舉爵曰臣之不敢愛死為兩君之在此堂也○荀罃之在楚也鄭賈人有將寘諸褚中以出既謀之未行而楚人歸之賈人如晉荀罃善視之如實出己賈人曰吾無其功敢有其實乎吾小人不可以厚誣君子遂適齊傳言知罃之賢賈音古下同寘之豉切褚中呂切

經四年春宋公使華元來聘○三月壬申鄭伯堅卒無傳二年大夫盟于蜀壬申二月二十八日○杞伯來朝○夏四月甲寅臧孫許卒無傳○公如晉○葬鄭襄公無傳○秋公至自晉○冬城鄆無傳公欲叛晉故城而為備鄆音運

○鄭伯伐許

傳四年春宋華元來聘通嗣君也宋共公即位共音恭○杞伯來朝歸叔姬故也將出叔姬先脩禮朝魯言其故○夏公如晉晉侯見公不敬季文子曰晉侯必不免言將不能壽終也後十年陷廁而死詩曰敬之敬之天惟顯思命不易哉詩頌言天道顯明受其命甚難不可不敬以奉之易以豉切夫晉侯之命在諸侯矣可不敬乎敬諸侯則得天命秋公至自晉欲求成于楚而叛晉季文子曰不可晉雖無道未可叛也國大臣睦而邇於我邇近也諸侯聽焉未可以貳聽服也史佚之志有之周文王大史大音泰曰非我族類其心必異楚雖大非吾族也與魯異姓其肯字我乎字愛也○冬十一月鄭公孫申帥師疆許田前年鄭伐許侵其田今正其界疆居良切許人敗諸展陂

鄭伯伐許取鉏任冷敦之田
晉欒書將中軍荀首佐之士燮佐上軍以救許伐鄭取氾祭
楚子反救鄭鄭伯與許男訟焉皇戌攝鄭伯之辭子反不能決也曰君若辱在
寡君寡君與其二三臣共聽兩君之所欲成其可知也
不然側不足以知二國之成○晉
趙嬰通于趙莊姬
經五年春王正月杞叔姬來歸○仲孫蔑如宋○夏
叔孫僑如會晉荀首于穀○梁山崩○秋大
水○冬十有一月己酉天王崩○十有二月己丑公會
晉侯齊侯宋公衛侯鄭伯曹伯邾子杞伯同盟于蟲牢
傳五年春原屏放諸齊嬰曰我在故欒氏
不作我亡吾二昆其憂哉且人各有能有不能
舍我何害弗聽嬰夢天使謂己祭余余福女使問諸士貞伯
貞伯曰不識也既而告其人曰
神福仁而禍淫淫而無罰福也祭其得亡乎祭之之
明日而亡○孟獻子如宋報華元也○夏
晉荀首如齊逆女故宣伯餫諸穀
○梁山崩晉侯以傳召伯宗伯宗辟
重曰辟傳重人曰待我不如捷之速也
問其所曰絳人也問絳事焉曰梁山崩將
召伯宗謀之問將若之何曰山有朽壤而崩可若何國主山川
故山崩川竭君為之不舉降
服乘縵徹樂出次祝幣史
辭以禮焉其如此而已雖伯宗若之何伯宗請見之

見之於晉君見賢遍切注皆同不可見不肯遂以告而從之從人言重 ○許靈公愬鄭伯于楚前比年鄭伐許故 六月鄭悼公如楚訟不勝楚人執皇戌及子國以鄭伯不直故也子國鄭穆公子 故鄭伯歸使公子偃請成于晉秋八月鄭伯及晉趙同盟于垂棘垂棘晉地 ○宋公子圍龜爲質于楚而還圍龜文公子質音致下注同 華元享之請鼓譟以出鼓譟以復入出入輒擊鼓譟素報切還音扶又切下同 曰習攻華氏宋公殺之蓋宣十五年宋楚平後華元使圍龜代己爲質故怨而欲攻華氏 ○冬同盟于蟲牢鄭服也諸侯謀復會宋公使向爲人辭以子靈之難子靈圍龜也宋公不欲會以新誅子靈爲辭爲明年侵宋傳向舒亮切難乃旦切一本無之難二字子靈爲辭一本無爲辭二字或衍文倒丁老切 ○十一月己酉定王崩經在蟲牢盟上傳在下月倒錯衆家傳悉無此八字

經六年春王正月公至自會無傳 ○二月辛巳立武宮魯人自鞌之功至今無患故築武軍又作先君武公宮以告成事欲以示後世 ○取鄟鄟附庸國也鄟徐音專又市轉切 ○衛孫良夫帥師侵宋 ○夏六月邾子來朝無傳 ○公孫嬰齊如晉嬰齊叔肸子

○壬申鄭伯費卒前年同盟蟲牢費音秘 ○秋仲孫蔑叔孫僑如帥師侵宋 ○楚公子嬰齊帥師伐鄭 ○冬季孫行父如晉 ○晉欒書帥師救鄭

傳六年春鄭伯如晉拜成謝前年再盟 子游相子游公子偃相息亮切下寧相同 授玉于東楹之東禮授玉兩楹之間鄭伯行疾故東過 士貞伯曰鄭伯其死乎自棄也已視流而行速不安其位宜不能久視流不端諦諦音帝 ○二月季文子以鞌之功立武宮非禮也宣十二年潘黨勸楚子立武軍楚子荅以武有七德非己所堪其爲先君宮告成事而已今魯倚晉之功又非霸主而立武宮故譏之倚於綺切 聽於人以救其難不可以立武立武由己非由人也言請人救難勝非己功難乃旦切注同 ○取鄟言易也易以豉切 ○三月晉伯宗夏陽說衛孫良夫甯相鄭人伊雒之戎陸渾蠻氏侵宋夏陽說晉大夫蠻氏戎別種也河南新城縣東南有蠻城經唯書衛孫良夫獨衛告也夏戶雅切說音悅下文注同渾戶門切種章勇切 以其辭會也辭會在前年 師于鍼衛人不保不守備鍼其廉切一音針 說欲襲衛曰雖不可入多俘而歸有罪不及死伯宗

曰不可衛唯信晉故師在其郊而不設備若襲之是棄信也雖多衛俘而晉無信何以求諸侯乃止師還衛人登陴闚說諜故陴毗支切

○晉人謀去故絳晉復命新田為絳故謂此故絳復扶又切諸大夫皆曰必居郇瑕氏之地郇瑕古國名河東解縣西北有郇城郇音荀解音蟹沃饒而近盬盬鹽也猗氏縣鹽池是近附近之近下及注近寶皆同盬音古猗於宜切國利君樂不可失也韓獻子將新中軍且為僕大夫兼大僕樂音洛下謂樂同將子匠切下注將軍同大音泰公揖而入獻子從公立於寢庭路寢之庭謂獻子曰何如問諸大夫言是非對曰不可郇瑕氏土薄水淺土薄地下其惡易覯惡疾疢覯成也易以豉切下注同覯古豆切疢勑覲切本或作疾同易覯則民愁民愁則墊隘墊隘羸困也墊丁念切隘於賣切羸劣僞切於是乎有沉溺重膇之疾沉溺濕疾重膇足腫溺乃歷切膇治僞切二音直媿切腫章勇切一音常勇切不如新田今平陽絳邑縣是土厚水深居之不疾高燥故有汾澮以流其惡汾水出太原經絳北西南入河澮水出平陽絳縣南西入汾惡垢穢汾扶云切澮古外切垢古口切且民從教無災患十世之利也夫山澤林盬國之寶也國饒則民驕佚財易致則民驕侈佚音逸近寶公室乃貧不可謂樂近寶則民不務本公說從之夏四月丁丑晉遷于新田為季孫如晉傳說音悅

○六月鄭悼公卒終士貞伯之言

○子叔聲伯如晉命伐宋晉人命聲伯秋孟獻子叔孫宣伯侵宋晉命也

○楚子重伐鄭鄭從晉故也前年從晉盟

○冬季文子如晉賀遷也

○晉欒書救鄭與楚師遇於繞角繞角鄭地楚師還晉師遂侵蔡楚公子申公子成以申息之師救蔡申息楚二縣成音城禦諸桑隧汝南朗陵縣東有桑里在上蔡西南禦魚呂切隧音遂趙同趙括欲戰請於武子武子將許之武子欒書知莊子荀首中軍佐范文子士燮上軍佐韓獻子韓厥新中軍將諫曰不可吾來救鄭楚師去我吾遂至於此此蔡地是遷戮也戮而不已又怒楚師戰必不克遷戮不義怒敵難當故不克雖克不令成師以出而敗楚之二縣何榮之有焉六軍悉出故曰成師以大勝小不足為榮若不能敗為辱已甚不如還也乃遂還於是軍帥之欲戰者衆或謂欒武子曰聖人與衆同欲是以濟事子盍從衆盍何不也帥所類切下注同盍戶臘切子為大政中軍元帥將酌於民者也

酌取民心以爲政 子之佐十一人 六軍之卿佐 其不欲戰者三人而已 知范韓也
欲戰者可謂衆矣商書曰三人占從二人衆故也 商書洪範 武子曰
善鈞從衆 鈞等也 夫善衆之主也三卿爲主可謂衆矣 三卿皆晉之賢人
從之不亦可乎 傳善欒書得從衆之義且爲八年晉侵蔡傳

經七年春王正月鼷鼠食郊牛角改卜牛鼷鼠又食其角乃免
牛 無傳稱牛未卜日免放也免牛可也不郊非禮也鼷音兮 ○吳伐郯 郯音談 ○夏五月曹伯
來朝○不郊猶三望 無傳書不郊間有事三望非禮 ○秋楚公子嬰齊帥師伐鄭
○公會晉侯齊侯宋公衛侯曹伯莒子邾子杞伯救鄭○八月
戊辰同盟于馬陵 馬陵衛地陽平元城縣東南有地名馬陵 ○公至自會 無傳 ○吳入州
來 州來楚邑淮南下蔡縣是也 ○冬大雩 無傳書過 ○衛孫林父出奔晉

傳七年春吳伐郯郯成季文子曰中國不振旅蠻夷入伐而莫
之或恤 振整也旅衆也 無弔者也夫 言中國不能相愍恤故夷狄内侵夫音扶 詩曰不弔昊
天亂靡有定其此之謂乎 詩小雅刺在上者不能弔愍下民故號天告亂昊戶老切號戶刀切 有

上不弔其誰不受亂 上謂霸主 吾亡無日矣君子曰知懼如是斯不
亡矣○鄭子良相成公以如晉見且拜師 謝前年晉救鄭之師爲楚伐鄭張本相息
亮切見賢遍切 夏曹宣公來朝 秋楚子重伐鄭師于氾 氾鄭地在襄城縣南氾音
凡 諸侯救鄭鄭共仲侯羽軍楚師 二子鄭大夫共音恭 囚鄖公鍾儀獻
諸晉○八月同盟于馬陵尋蟲牢之盟且莒服故也 蟲牢盟在五年莒本
屬齊齊服故莒從之鄖本亦作員音云邑名 ○晉人以鍾儀歸囚諸軍府 軍藏府也爲九年晉
侯見鍾儀張本藏才浪切 楚圍宋之役 在宣十四年 師還子重請取於申呂以爲
賞田王許之 分申呂之田以自賞 申公巫臣曰不可此申呂所以邑也是
以爲賦以御北方若取之是無申呂也 言申呂賴此田成邑耳不得此田則無以出兵
賦而二邑壞也所邑也一本作所以邑也御魚呂切 晉鄭必至于漢王乃止子重是以怨
巫臣子反欲取夏姬巫臣止之遂取以行子反亦怨之及共王
即位 楚共王以魯成公元年即位共音恭 子重子反殺巫臣之族子閻子蕩及清
尹弗忌 皆巫臣之族閻音鹽 及襄老之子黑要 以夏姬故并怨黑要要一遙切 而分其室

子重取子閻之室使沈尹與王子罷分子蕩之室子反取黑要
與清尹之室巫臣自晉遺二子書子重子反罷音皮下同遺唯季切曰爾以讒
慝貪惏事君而多殺不辜余必使爾罷於奔命以死巫臣請使
於吳晉侯許之吳子壽夢說之乃通吳于晉壽夢季札父慝他得切惏力含切使
所吏切夢莫公切說音悅札側八切以兩之一卒適吳舍偏兩之一焉司馬法百人為卒二
十五人為兩車九乘為小偏十五乘為大偏蓋留九乘車及一兩二十五人令吳習之卒子忽切注同舍音赦舊音捨乘繩證
切下注同令力呈切與其射御教吳乘車教之戰陳教之叛楚前是吳常屬楚陳直
覲切寘其子狐庸焉使為行人於吳吳始伐楚伐巢伐徐巢徐楚屬國寘之
豉切子重奔命救徐巢馬陵之會吳入州來子重自鄭奔命因伐鄭而
行子重子反於是乎一歲七奔命蠻夷屬於楚者吳盡取之是
以始大通吳於上國上國諸夏夏戶雅切衛定公惡孫林父冬孫林父出
奔晉林父孫良夫之子惡烏路切衛侯如晉晉反戚焉戚林父邑林父出奔戚隨屬晉戚七狄切
經八年春晉侯使韓穿來言汶陽之田歸之于齊齊服事晉故晉來語魯使

十五

還二年所取田語魚據切○晉欒書帥師侵蔡○公孫嬰齊如莒○宋公使
華元來聘○夏宋公使公孫壽來納幣昏聘不使卿今華元將命故特書之宋公無主
昏者自命之故稱使也公孫壽蕩意諸之父○晉殺其大夫趙同趙括傳曰原屏咎之徒也明本
不以德義自居宜其見討故從告辭而稱名○秋七月天子使召伯來賜公命諸侯即位
天子賜以命圭與之合瑞八年乃來緩也天子天王王者之通稱稱尺證切○冬十月癸卯杞叔姬卒
前五年來歸者女既適人雖見出弃猶以成人禮書之終為杞伯所葬故稱杞叔姬○晉侯使士燮來聘
○叔孫僑如會晉士燮齊人邾人伐郯先謀而稱會盟主之命不同之於列國○
衛人來媵古者諸侯取適夫人及左右媵各有姪娣皆同姓之國國三人凡九女所以廣繼嗣也魯將嫁伯姬於宋
故衛來媵之媵以證切又繩證切適丁歷切姪大結切字林文一切娣大計切
傳八年春晉侯使韓穿來言汶陽之田歸之于齊季文子餞之
餞送行飲酒餞錢淺切說文云送去食也字林子翦切毛詩箋云祖而舍軷飲酒於其側曰餞私焉私與之言曰大
國制義以為盟主是以諸侯懷德畏討無有貳心謂汶陽之田
敝邑之舊也而用師於齊使歸諸敝邑用師鞌之戰今有二命曰歸

諸齊信以行義義以成命小國所望而懷也信不可知義無所立四方諸侯其誰不解體言不復肅敬於晉〔復〕扶又切詩曰女也不爽士貳其行士也罔極二三其德爽差也極中也詩衛風婦人怨丈夫不一其行喻魯事晉猶女之不敢過差而晉有罔極之心反二三其德行下孟切又注同〔差〕初賣切一音初佳切七年之中一與一奪二三孰甚焉士之二三猶喪妃耦而況霸主霸主將德是以以用也〔喪〕息浪切〔妃〕音配〔耦〕五口切而二三之其何以長有諸侯乎詩曰猶之未遠是用大簡猶圖也簡諫也詩大雅言王者圖事不遠故用大道諫之〔長〕音如字一音丁丈切行父懼晉之不遠猶而失諸侯也是以敢私言之○晉欒書侵蔡六年未得志故遂侵楚獲申驪申驪楚大夫〔驪〕力馳切楚師之還也謂六年還於繞角時晉侵沈獲沈子揖初從知范韓也繞角之役欒書從知莊子范文子韓獻子之言不與楚戰自是常從其謀師出有功故傳善之沈國今汝南平輿縣〔揖〕徐音集又於立切〔輿〕音餘一音預君子曰從善如流宜哉宜有功也如流喻速詩曰愷悌君子遐不作人遐遠也作用也詩大雅言文王能遠用善人不語助〔愷〕開在切樂也〔悌〕徒禮切易也求善也夫作人斯有功績矣是行也鄭伯將會晉師

十七

會伐蔡之師〔夫〕音扶門于許東門大獲焉過許見其無備因攻之〔過〕古禾切○聲伯如莒逆也自為逆婦而書者因聘而逆〔為〕于僞切下文為趙嬰同宋華元來聘聘共姬也穆姜之女成公姊妹為宋共公夫人聘不應使卿故傳發其事而已〔共〕音恭○夏宋公使公孫壽來納幣禮也納幣應使卿○晉趙莊姬為趙嬰之亡故譖之于晉侯趙嬰亡在五年曰原屏將為亂欒郤為徵欒氏郤氏亦徵其為亂六月晉討趙同趙括武從姬氏畜于公宮趙武莊姬之子莊姬晉成公女畜養也以其田與祁奚韓厥言於晉侯曰成季之勳宣孟之忠成季趙衰宣孟趙盾〔祁〕巨之切字林上尸切〔衰〕初危切〔盾〕徒本切而無後為善者其懼矣三代之令王皆數百年保天之祿夫豈無辟王賴前哲以免也言三代亦有邪辟之君但賴其先人以免禍耳〔數〕所主切〔辟〕匹亦切注及下同〔哲〕陟列切〔邪〕似嗟切周書曰不敢侮鰥寡所以明德也周書康誥言文王不侮鰥寡而德益明欲使晉侯之法文王〔侮〕亡甫切〔鰥〕古頑切乃立武而反其田焉○秋召桓公來賜公命召桓公周卿士○晉侯使申公巫臣如吳假道于莒與渠丘公立於池上渠丘公莒子朱也池城池也渠丘邑名莒縣有蘧里〔蘧〕其居切曰城已惡莒子曰辟陋

在夷其孰以我爲虞虞度也已惡如字已猶太也本或作城已惡矣度待洛切對曰夫狡焉
狡猾之人狡交卯切猾于八切思啟封疆以利社稷者何國蔑有唯然故多大
國矣唯或思或縱也無有思開封疆者有縱其暴掠者莒人當唯此爲命疆居良切唯然音維本或作雖
後人改也諒音亮勇夫重閉況國乎爲明年莒潰傳重直龍切又直勇閉補計切又補結切一音方旦
切○冬杞叔姬卒來歸自杞故書愍其見出來歸故書卒也昔更適大夫則不復書卒復扶
又切○晉士燮來聘言伐郯也以其事吳故七年郯與吳成公賂之請緩
師文子不可文子士燮曰君命無貳失信不立禮無加貨事無二成
公私不兩成君後諸侯是寡君不得事君也欲與魯絕絕如字徐音胡豆切燮將復
之季孫懼使宣伯帥師會伐郯○衛人來媵共姬禮也凡諸侯
嫁女同姓媵之異姓則否必以同姓者參骨肉至親所以息陰訟
經九年春王正月杞伯來逆叔姬之喪以歸○公會晉侯齊侯
宋公衛侯鄭伯曹伯莒子杞伯同盟于蒲蒲衛地在長垣縣西南○公至
自會無傳○二月伯姬歸于宋宋不使卿逆非禮○夏季孫行父如宋致

女女嫁三月又使大夫隨加聘問謂之致女所以致成婦禮篤昏姻之好好呼報切○晉人來媵媵伯姬也
○秋七月丙子齊侯無野卒無傳五同盟丙子六月一日書七月從赴○晉人執鄭
伯鄭伯既受盟於蒲又受楚賂會於鄧故晉執之稱人者晉以無道於民告諸侯例在十五年○晉欒書帥
師伐鄭○冬十有一月葬齊頃公無傳頃音傾○楚公子嬰齊帥師
伐莒庚申莒潰民逃其上曰潰○楚人入鄆鄆莒別邑也楚偏師入鄆故稱人○秦人
白狄伐晉○鄭人圍許○城中城魯邑也在東海廩丘縣西南此閏月城在十一月之後十
二月之前故傳曰書時
傳九年春杞桓公來逆叔姬之喪請之也叔姬已絕於杞魯復強請杞使還取葬復
扶又切下同強其丈切杞叔姬卒爲杞故也還爲杞婦故卒稱杞爲于偽切下注爲魯下文爲歸汶陽
同逆叔姬爲我也既棄而復逆其喪明爲魯故逆叔姬絕句爲我也本或無爲字○爲歸汶陽
之田故諸侯貳於晉歸田在前年晉人懼會於蒲以尋馬陵之盟馬陵
盟在七年季文子謂范文子曰德則不競尋盟何爲競強也范文子曰
勤以撫之寬以待之堅彊以御之明神以要之柔服而伐貳德

之次也是行也將始會吳吳人不至 爲十五年會鍾離傳御魚呂切要一遙切 ○二
月伯姬歸于宋 爲致女復命起 ○楚人以重賂求鄭鄭伯會楚公子成
于鄧 爲晉人執鄭伯傳 ○夏季文子如宋致女復命公享之賦韓奕之
五章 韓奕詩大雅篇名其五章言蹶父嫁女於韓侯爲女相所居莫如韓樂文子喻魯侯有蹶父之德宋公如韓侯宋土
如韓樂蹶九衛切爲于僞切相息亮切樂音洛下同 穆姜出于房再拜曰大夫勤辱不忘
先君以及嗣君施及未亡人 穆姜伯姬母聞文子言宋樂喜而出謝其行勞婦人夫死自稱未亡
人施以豉切 以先君猶有望也 言先君亦望文子之若此 敢拜大夫之重勤又賦綠
衣之卒章而入 綠衣詩邶風也取其我思古人實獲我心喻文子言得己意重直勇切又直用切綠如字本又
作祿吐亂切注同邶音佩又作鄁 ○晉人來媵禮也 同姓故 ○秋鄭伯如晉晉人
討其貳於楚也執諸銅鞮 銅鞮晉別縣在上黨鞮丁兮切 ○欒書伐鄭鄭人使
伯蠲行成晉人殺之非禮也兵交使在其間可也 明殺行人例蠲古玄切又
音圭使所吏切 音 楚子重侵陳以救鄭 陳與晉故 ○晉侯觀于軍府見鍾儀
問之曰南冠而縶者誰也 南冠楚冠縶拘執縶中立切拘九于切 有司對曰鄭人
所獻楚囚也使稅之 鄭獻鍾儀在七年稅解也稅吐活切徐始銳切注同 召而弔之再拜
稽首問其族對曰泠人也 泠人樂官泠力丁切依字作伶 公曰能樂乎對曰先
人之職官也敢有二事 言不敢學他事 使與之琴操南音 南音楚聲操七刀切下同
公曰君王何如對曰非小人之所得知也固問之對曰其爲大
子也師保奉之以朝于嬰齊而夕于側也 嬰齊令尹子重側司馬子反言其尊卿敬
老 不知其他公語范文子文子曰楚囚君子也言稱先職不背
本也樂操土風不忘舊也稱大子抑無私也 舍其近事而遠稱少小以示性所自
然明至誠語魚據切背音佩下同舍音捨少詩照切 名其二卿尊君也 尊晉君也 不背本仁也
不忘舊信也無私忠也尊君敏也 敏達也 仁以接事信以守之忠
以成之敏以行之事雖大必濟 言有此四德必能成大事 君盍歸之使合晉
楚之成公從之重爲之禮使歸求成 爲下十二月晉楚結成張本盍戶臘切 ○冬
十一月楚子重自陳伐莒圍渠丘渠丘城惡衆潰奔莒戊申楚
入渠丘 月六日 莒人囚楚公子平楚人曰勿殺吾歸而俘莒人殺

之楚師圍莒莒城亦惡庚申莒潰月十八日楚遂入鄆莒無備故也終巫臣之言君子曰恃陋而不備罪之大者也備豫不虞善之大者也莒恃其陋而不脩城郭浹辰之間而楚克其三都無備也夫浹辰十二日也（浹）子協切徐又音子荅切（夫）音扶詩曰雖有絲麻無棄菅蒯雖有姬姜無棄蕉萃凡百君子莫不代匱言備之不可以已也逸詩也姬姜大國之女蕉萃陋賤之人（菅）古顏切（蒯）苦怪切（蕉）在遙切（萃）在醉切（匱）其位切○秦人白狄伐晉諸侯貳故也○鄭人圍許示晉不急君也此秋晉執鄭伯是則公孫申謀之曰我出師以圍許示不畏晉為將改立君者而紓晉使紓緩也勿亟遣使請晉示欲更立君（為）（將）並如字或于偽切非也本或作偽將（紓）音舒（使）所吏切（亟）紀力切急也或欺冀切數也晉必歸君為明年晉侯歸鄭伯張本○城中城書時也○十二月楚子使公子辰如晉報鍾儀之使請脩好結成鍾儀奉晉命歸故楚報之（報）呼報切

經十年春衛侯之弟黑背帥師侵鄭○夏四月五卜郊不從乃不郊無傳卜常祀不郊皆非禮故書○五月公會晉侯齊侯宋公衛侯曹伯伐

鄭晉侯大子州蒲也稱爵見其生代父居位失人子之禮（見）賢遍切○齊人來媵無傳媵伯姬也異姓來媵非禮也○丙午晉侯獳卒六同盟據傳丙午六月七日有日無月（獳）乃侯切○秋七月公如晉○冬十月

傳十年春晉侯使糴茷如楚糴茷晉大夫（糴）徐徒弔切一音杜敹切又土弔切（茷）扶廢切一音蒲發切又蒲艾切報大宰子商之使也子商楚公子辰使在前年（大）音泰（使）所吏切下使在同○衛子叔黑背侵鄭晉命也晉命衛使侵鄭○鄭公子班聞叔申之謀改立君之謀三月子如立公子繻子如公子班（繻）音須夏四月鄭人殺繻立髡頑子如奔許髡頑鄭成公大子（髡）苦門切（頑）如字徐音五班切欒武子曰鄭人立君我執一人焉何益不如伐鄭而歸其君以求成焉晉侯有疾五月晉立大子州蒲以為君而會諸侯伐鄭生立子為君此父不父子不子經因書晉侯其惡明州蒲本或作州滿鄭子罕賂以襄鐘子罕穆公子襄鐘鄭襄公之廟鐘子然盟于脩澤子駟為質子然子駟皆穆公子滎陽卷縣東有脩武亭（質）音致（卷）音權字林丘權切如淳漢書音同辛巳鄭伯歸鄭伯歸不書鄭不告入○晉侯夢大厲被髮及地搏膺而踊曰殺余孫

不義 厲鬼也趙氏之先祖也八年晉侯殺趙同趙括故怒（被）皮寄切（傳）音博（踊）音勇 余得請於帝矣壞大門及寢門而入公懼入于室又壞戶公覺召桑田巫 桑田晉邑（壞）音怪下同及寢門一本無及字（覺）古孝切 巫言如夢 巫云鬼怒如公所夢 公曰何如曰不食新矣 言公不得及食新麥 公疾病求醫于秦秦伯使醫緩爲之 緩醫名爲猶治也（醫）於其切 未至公夢疾爲二豎子曰彼良醫也懼傷我焉逃之其一曰居肓之上膏之下若我何 肓鬲也心下爲膏傷（我）絕句（焉）徐於虔切一讀如字屬上句（逃）（之）絕句（肓）徐音荒說文云心下鬲上也（鬲）音革 醫至曰疾不可爲也在肓之上膏之下攻之不可達之不及藥不至焉不可爲也 達針（攻）音工 公曰良醫也厚爲之禮而歸之六月丙午晉侯欲麥 周六月今四月麥始熟 使甸人獻麥 甸人主爲公田者（甸）徒練切 饋人爲之召桑田巫示而殺之將食張如廁陷而卒 張腹滿也（饋）其媿切（爲）如字（張）中亮切注同 小臣有晨夢負公以登天及日中負晉侯出諸廁遂以爲殉 傳言巫以明術見殺小臣以言夢自禍 鄭伯討立君者戊申殺叔申叔禽 叔禽叔申弟 君子曰忠爲令德非其人猶不可況不令乎 言叔申爲忠不得其人還害身 ○秋公如晉 親弔非禮 晉人止公使送葬於是糴茷未反 是春晉使糴茷至楚結成晉謂魯二於楚故留公須糴茷還驗其虛實 冬葬晉景公公送葬諸侯莫在魯人辱之故不書諱之也 諱不書晉葬也

春秋左氏傳卷第十二

杜氏　盡十八年

經十有一年春王三月公至自晉正月公在晉不書諱見止○晉侯使郤犨來聘己丑及郤犨盟郤犨郤克從父兄弟犨尺由切○夏季孫行父如晉○秋叔孫僑如如齊○冬十月僑其驕切

傳十一年春王三月公至自晉晉人以公為貳於楚故止公公請受盟而後使歸弔前年七月公如晉至是乃得歸郤犨來聘且涖盟盟公請受盟故使大夫來臨之涖音利又音類○聲伯之母不聘聲伯之母叔肸之妻不聘無媒禮聘本亦作娉匹政切肸許乙切亡田切姒穆姜曰吾不以妾為姒昆弟之妻相謂為姒穆姜宣公夫人宣公叔肸同母昆弟姒音似生聲伯而出之嫁於齊管于奚生二子而寡以歸聲伯聲伯以其外弟為大夫外弟管于奚之子為魯大夫而嫁其外妹於施孝叔孝叔魯惠公五世孫郤犨來聘求婦於聲伯聲伯奪施氏婦以與之婦人曰鳥獸猶不失儷儷耦也儷力計切子將若何曰吾不能死亡言不與郤犨婦懼能忿致禍婦人遂行生二子於郤氏郤氏亡晉人歸之施氏施氏逆諸河沈其二子沈之於河沈徐直蔭切注同一音如字婦人怒曰己不能庇其伉儷而亡之伉敵也庇音必利切又音秘伉苦浪切又不能字人之孤而殺之字愛也將何以終遂誓施氏約誓不復為之婦也傳言郤犨淫縱所以亡也縱扶又切下文注復出皆同○夏季文子如晉報聘且涖盟也郤犨文子交盟魯晉之君其意一也故但書來盟舉重略輕○周公楚惡惠襄之偪也惠王襄王之族惡烏路切且與伯與爭政伯與周卿士與音餘本亦作與不勝怒而出及陽樊陽樊晉地王使劉子復之盟于鄄而入三日復出奔晉王既復之而復出所以自絕於周為明年周公出奔傳鄄周邑鄄音絹○秋宣伯聘于齊以脩前好脩前之好好呼報切注同○晉郤至與周爭鄇田鄇溫別邑今河內懷縣西南有鄇人亭鄇音侯字林音侯王命劉康公單襄公訟諸晉郤至曰溫吾故也故不敢失言溫郤氏舊邑單音善劉子單子曰昔周克商使諸侯撫封各撫有其封內之地蘇忿生以溫為司寇與檀伯達封于河蘇忿生周武王司寇蘇公也與檀伯達俱封於河內檀徒丹切蘇氏即狄又不能於狄而奔衛在

僖十年 襄王勞文公而賜之温 在僖二十五年 勞力報切 狐氏陽氏先處之 狐溱
陽處父先食温地 溱側巾切 而後及子若治其故則王官之邑也子安得之
晉侯使郤至勿敢爭 傳言郤至貪所以亡 ○宋華元善於令尹子重又善於
欒武子聞楚人既許晉糴茷成而使歸復命矣 在往年 華戶化切 冬華
元如楚遂如晉合晉楚之成 爲明年盟宋西門外張本 ○秦晉爲成將會于
令狐晉侯先至焉秦伯不肯涉河次于王城使史顆盟晉侯于
河東 史顆秦大夫 令力丁切 顆苦果切 晉郤犫盟秦伯于河西 就盟王城 范文子曰
是盟也何益齊盟所以質信也 齊一心質成也 會所信之始也始之不
從其可質乎秦伯歸而背晉成 爲十三年伐秦傳 背音佩卷內皆同
經十有二年春周公出奔晉○夏公會晉侯衛侯于瑣澤 瑣澤地闕
瑣素果切本亦作璅 ○秋晉人敗狄于交剛 交剛地闕 ○冬十月
傳十二年春王使以周公之難來告 周公奔在前年 難乃旦切 書曰周公出
奔晉凡自周無出周公自出故也 天子無外故奔者不言出周公爲王所復而自絕於周故

左十二　二　洪旦

書出以非之 ○宋華元克合晉楚之成 終前年事 夏五月晉士燮會楚公
子罷許偃 二子楚大夫 罷音皮 癸亥盟于宋西門之外曰凡晉楚無相加
戎好惡同之同恤菑危備救凶患若有害楚則晉伐之在晉楚
亦如之交贄往來道路無壅 贄幣也 好惡並如字又上呼報切下烏路切 菑音災 贄本又作摯之
二切 壅於勇切 謀其不協而討不庭 討背叛不來在王庭者 有渝此盟明神殛之
殛誅也 渝羊朱切 殛本又作極紀力切注同 俾隊其師無克胙國 俾使也隊失也 俾本亦作卑必爾切
隊直類切注同 胙才故切 鄭伯如晉聽成 聽猶受也晉楚既成鄭往受命 會于瑣澤成故也
晉既與楚成合諸侯以申成好 好呼報切盡年皆同 ○狄人間宋之盟以侵晉而不設備秋
晉人敗狄于交剛○晉郤至如楚聘且涖盟楚子享之子反相
爲地室而縣焉 縣鍾鼓也 間間廁之間 相息亮切 縣音玄注同 郤至將登 登堂 金奏作於
下 擊鍾而奏樂 驚而走出子反曰日云莫矣寡君須矣吾子其入也
賓曰君不忘先君之好施及下臣貺之以大禮重之以備樂 貺賜
也 莫音暮本亦作暮 施以豉切 重直用切 如天之福兩君相見何以代此下臣不敢

言此兩君相見之禮子反曰如天之福兩君相見無亦唯是一矢以相加
遺焉用樂言兩君戰乃相見無用此樂樂遺唯季切焉於虔切寡君須矣吾子其入也賓曰
傳諸交讓得賓主辭者多曰賓主以明之若讓之以一矢禍之大者其何福之為世
之治也諸侯間於天子之事則相朝也王事閒缺則脩私好治直吏切下注治世同閒
音閑注同於是乎有享宴之禮享以訓共儉享有體薦設几而不倚爵盈而不飲肴乾而不
食所以訓共儉享許丈切薦又許亮切本亦作饗宴於見切徐於顯切倚於綺切宴以示慈惠宴則折俎相與
共食折之設切共儉以行禮而慈惠以布政政以禮成民是以息百官
承事朝而不夕不夕言無事朝直遙切朝曰朝徐音朝旦之朝此公侯之所以扞城其
民也扞蔽也言享宴結好鄰國所以蔽扞其民扞戶旦切故詩曰赳赳武夫公侯干城詩周
南之風赳赳武貌干扞也言公侯之與武夫止于扞難而已赳居黝切難乃旦切干戶旦切本亦作扞又如字下
同及其亂也諸侯貪冒侵欲不忌爭尋常以盡其民八尺曰尋倍尋曰常
言爭尺丈之地以相攻伐冒莫報切又亡北切略其武夫以為己腹心股肱爪牙略取也言
世亂則公侯制禦武夫以從己志使侵害鄰國為搏噬之用無已搏音博噬市制切故詩曰赳赳武夫公

侯腹心舉詩之正以駮亂義詩言治世則武夫能合德公侯外為扞城內制其腹心駮邦角切天下有道
則公侯能為民干城而制其腹心亂則反之略其武夫以為己腹心爪牙為于偽
切又如字今吾子之言亂之道也不可以為法然吾子主也至敢不
從遂入卒事歸以語范文子文子曰無禮必食言吾死無日矣
夫言晉楚不能久和必復相伐為十六年鄢陵戰張本語魚據切夫音扶本亦無此字復扶又切鄢謁晚切漢書音義一建
切冬楚公子罷如晉聘且涖盟報郤至十二月晉侯及楚公子罷
盟于赤棘晉地
經十有三年春晉侯使郤錡來乞師將伐秦也侯伯當召兵而乞師謙辭錡魚綺切○
三月公如京師伐秦道過京師因朝王過古禾切又古卧切○夏五月公自京師遂
會晉侯齊侯宋公衛侯鄭伯曹伯邾人滕人伐秦曹伯盧卒
于師五同盟盧本亦作廬力吳切○秋七月公至自伐秦無傳○冬葬曹宣公
傳十三年春晉侯使郤錡來乞師將事不敬將事致君命孟獻子曰
郤氏其亡乎禮身之幹也敬身之基也郤子無基且先君之嗣

卿也受命以求師將社稷是衛而惰棄君命也不亡何爲郤錡郤克
子故曰嗣卿爲十七年晉殺郤錡傳〔惰〕徒臥切○三月公如京師宣伯欲賜欲王賜己請先
使王以行人之禮禮焉不加厚〔使〕所吏切孟獻子從王以爲介而重賄
之介輔相威儀者獻子相公以禮故王重賜之〔從〕才用切〔介〕音界〔相〕息亮切下同公及諸侯朝王遂從
劉康公成肅公會晉侯伐秦劉康公王季子劉成二公不書兵不加秦成子受脤于
社不敬脤宜社之肉也盛以脤器故曰脤宜出兵祭社之名〔脤〕市軫切〔盛〕音成劉子曰吾聞之民
受天地之中以生所謂命也是以有動作禮義威儀之則以定
命也能者養之以福養威儀以致福不能者敗以取禍是故君子勤禮
小人盡力勤禮莫如致敬盡力莫如敦篤敬在養神篤在守業
國之大事在祀與戎祀有執膰膰祭肉〔盡〕津忍切下同〔膰〕音煩戎有受脤神之
大節也交神之大節今成子惰棄其命矣惰則失中和之氣其不反乎爲成肅公
卒于瑕張本○夏四月戊午晉侯使呂相絶秦呂相魏錡子蓋宣己命〔相〕息亮切曰
昔逮我獻公及穆公晉獻公秦穆公〔逮〕音代一音大計切相好戮力同心申之以

盟誓重之以昏姻穆公夫人獻公之女〔好〕呼報切下同〔戮〕力相承音六嵇康力幽切呂靜字韻與䜌同字林
音遼天禍晉國文公如齊惠公如秦辟驪姬也不言狄梁舉所恃大國〔辟〕音避〔驪〕力知切無
祿獻公即世穆公不忘舊德俾我惠公用能奉祀于晉僖十年秦納惠
公〔俾〕本或作卑必爾切下及注同又不能成大勳而爲韓之師僖十五年秦伐晉獲惠公亦
悔于厥心用集我文公集成也是穆之成也成功於晉文公躬擐甲胄
跋履山川草行爲跋〔擐〕音患〔胄〕直又切〔跋〕蒲末切踰越險阻征東之諸侯虞夏商
周之胤而朝諸秦則亦既報舊德矣鄭人怒君之疆埸我文公
帥諸侯及秦圍鄭晉自以鄭貳於楚故圍之鄭非侵秦也晉以此誣秦事在僖三十年〔疆〕居良切〔埸〕音亦諸
秦大夫不詢于我寡君擅及鄭盟詢謀也盟者秦伯讓言大夫〔詢〕思巡切〔擅〕市戰切諸
侯疾之將致命于秦致死命而討秦時無諸侯蓋諸侯遥致此意文公恐懼綏靜諸
侯秦師克還無害則是我有大造于西也造成也言晉有成功於秦〔恐〕曲勇切無
祿文公即世穆爲不弔不見弔傷蔑死我君寡我襄公寡弱也〔寡〕〔我〕本或以我字
在死上非迭我殽地奸絶我好伐我保城殄滅我費滑伐保城誣之費滑滑國都

（於費今緱氏縣迭直結切徐音迭殽戶交切奸音干費扶味切滑戶八切緱古侯切）散離我兄弟撓亂我同盟（滑晉同姓撓乃卯切徐許高切）傾覆我國家我襄公未忘君之舊勳（納文公之勳覆乎服切下同）而懼社稷之隕是以有殽之師（在僖三十三年隕于敏切下同）猶願赦罪于穆公（晉欲求解於秦）穆公弗聽而即楚謀我天誘其衷成王隕命（秦使鬬克歸楚求成事見文十四年文元年楚弒成王見賢遍切）穆公是以不克逞志于我（逞快也逞勑景切）穆襄即世康靈即位（文六年晉襄秦穆皆卒）康公我之自出（晉外甥）又欲闕翦我公室傾覆我社稷帥我蝥賊以來蕩搖我邊疆（蝥賊食禾稼蟲名謂秦納公子雍闕其月切徐如字蝥莫侯切爾雅蟲食苗節為蝥食節為賊）我是以有令狐之役（在文七年）康猶不悛入我河曲（悛改也悛七全切）伐我涑川俘我王官（涑水出河東聞喜縣西南至蒲坂縣入河涑徐息錄切又音速字林同俘芳夫切）翦我羈馬我是以有河曲之戰（在文十二年）東道之不通則是康公絕我好也（言康公自絕故不復東通晉復扶又切）及君之嗣也（君秦桓公）我君景公引領西望曰庶撫我乎（望秦撫恤晉）君亦不惠稱盟（不肯稱晉望而共盟稱尺證切注同）利吾有狄難（謂晉滅潞氏時難乃旦切）入我河縣焚我箕郜芟夷我農功（夷傷也箕音基一音其郜古報切芟所銜切虔本又作殘音虔）虔劉我邊垂（虔劉皆殺也）我是以有輔氏之聚（聚眾也在宣十五年聚才喻切注同）君亦悔禍之延（延長也）而欲徼福于先君獻穆（晉獻秦穆徼古堯切）使伯車來命我景公（伯車秦桓公子）曰吾與女同好棄惡復脩舊德以追念前勳言誓未就景公即世我寡君是以有令狐之會（令狐會在十一年申厲公之命宜言寡人稱君誤也女音汝下文皆同好呼報切一音如字復音服又扶又切寡君讀者亦作寡人）君又不祥（祥善也）背棄盟誓白狄及君同州（及與也）君之仇讎而我昏姻也（季隗廧咎如赤狄之女也白狄伐而獲之納諸文公隗五罪切廧在良切咎音羔）君來賜命曰吾與女伐狄寡君不敢顧昏姻畏君之威而受命于吏君有二心於狄曰晉將伐女狄應且憎是用告我（言狄雖應荅秦而心實憎秦無信應應對之應注同）楚人惡君之二三其德也亦來告我曰秦背令狐之盟而來求盟于我昭告昊天上帝秦三公楚三王（三公穆康共三王成穆莊惡烏路切下同昊戶老切共音恭）曰余雖與晉出入（出入猶往來）余唯利是視不穀惡其無成

德是用宣之以懲不壹諸侯備聞此言斯是用痛心疾首暱就寡人（疾亦痛也暱親也暱女乙切）懲寡人帥以聽命唯好是求君若惠顧諸侯矜哀寡人而賜之盟則寡人之願也其承寧諸侯以退（承君之意以寧靜諸侯）豈敢徼亂（徼要也要一遥切）君若不施大惠寡人不佞其不能以諸侯退矣敢盡布之執事俾執事實圖利之（俾使也）秦桓公既與晉厲公為令狐之盟而又召狄與楚欲道以伐晉諸侯是以睦於晉（晉辭多誣秦故傳據此三事以正秦罪道音導）晉欒書將中軍荀庚佐之（庚代荀首將子匠切凡將某軍者放此以意求之）士燮將上軍（代荀庚）郤錡佐之（代士燮）韓厥將下軍（代郤錡）荀罃佐之（代趙同）趙旃將新軍（代韓厥旃之然切）郤至佐之（代趙括）郤毅御戎欒鍼為右（郤毅郤至弟欒鍼欒書子鍼其廉切）孟獻子曰晉帥乘和師必有大功（帥軍帥乘車士所類切乘繩證切下注同）五月丁亥晉師以諸侯之師及秦師戰于麻隧秦師敗績獲秦成差及不更女父（不更秦爵）

（戰敗績不書以為晉直秦曲則韓役書戰時公在師復不須告克獲有功亦無所諱蓋經文闕漏傳文獨存隧音遂差初佳切）

（徐又初宜切更音庚女音汝復扶又切）曹宣公卒于師師遂濟涇及侯麗而還（涇水出安定東南徑扶風京兆高陸縣入渭也涇音經麗力馳切）迓晉侯于新楚（迓迎也既戰晉侯止新楚故師還過迎之麻隧侯麗新楚皆秦地迓本又作訝五嫁切）○成肅公卒于瑕（終劉子之言瑕晉地）○六月丁卯夜鄭公子班自訾求入于大宮不能殺子印子羽（皆鄭大宮鄭祖廟十年班出奔許今欲還為亂子印子羽皆穆公子班本亦作般訾子斯切大音泰下同印一刃切）反軍于市己巳子駟帥國人盟于大宮（子駟穆公子）遂從而盡焚之（焚燒也）殺子如子駹孫叔孫知（子如公子班子駹班弟孫叔子如子孫知子駹子駹武邦切）○曹人使公子負芻守使公子欣時逆曹伯之喪（二子皆曹宣公庶子芻初俱切守手又切欣時如字徐或作款亦音欣案公羊傳作喜時宜音忻）秋負芻殺其大子而自立也（宣公太子）諸侯乃請討之晉人以其役之勞請俟他年冬葬曹宣公既葬子臧將亡（子臧公子欣時）國人皆將從之（不義負芻故）成公乃懼（成公負芻）告罪且請焉（請留子臧）乃反而致其邑（還邑於成公為十五年執曹伯傳）

經十有四年春王正月莒子朱卒（無傳九年盟于蒲）○夏衛孫林父自

晉歸于衛晉納之故曰歸○秋叔孫僑如如齊逆女○成公逆夫人最為得禮而經無
納幣者文闕絕也○鄭公子喜帥師伐許○九月僑如以夫人婦姜氏
至自齊○冬十月庚寅衛侯臧卒五同盟○秦伯卒無傳二年大夫盟於蜀而
不赴以名例在隱七年
傳十四年春衛侯如晉晉侯強見孫林父焉林父以七年奔晉強見欲歸之（強）其
丈切注同（見）賢遍切注及下而見之同定公不可夏衛侯既歸晉侯使郤犫送孫
林父而見之衛侯欲辭定姜曰不可定姜定公夫人是先君宗卿之嗣
也同姓之卿大國又以為請不許將亡雖惡之不猶愈於亡乎君其
忍之違大國必見伐故亡（惡）如字或于偽切（惡）烏路切安民而宥宗卿不亦可乎衛侯
見而復之復林父位（宥）音又衛侯饗苦成叔成叔郤犫甯惠子相相佐禮惠子甯殖（相）
息亮切注同苦成叔傲甯子曰苦成家其亡乎古之為享食也以觀
威儀省禍福也故詩曰兕觥其觩旨酒思柔詩小雅言君子好禮飲酒皆思柔德
雖設兕觥觩然不用以兕角為觥所以罰不敬觩陳設之貌（傲）五報切本又作敖注及下同（食）音嗣（兕）徐辭姊切（觥）古橫切（觩）

徐音虯又巨彪切音巨秋切（好）呼報切彼交匪傲萬福來求彼之交於事而不情傲乃萬福之所求
今夫子傲取禍之道也為十七年郤氏亡○秋宣伯如齊逆女稱族尊
君命也○八月鄭子罕伐許敗焉為許所敗（敗）必邁切下同戊戌鄭伯復伐
許庚子入其郛郛郭也（復）扶又切許人平以叔申之封四年鄭公孫申疆許田許人敗
之不得定其封疆今許以是所封田求和於鄭（疆）居良切下同○九月僑如以夫人婦姜氏至
自齊舍族尊夫人也舍族謂不稱叔孫（舍）音捨注同故君子曰春秋之稱微而
顯辭微而義顯（稱）尺證切志而晦志記也晦亦微也謂約言以記事事敘而文微（晦）呼內切婉而成章
婉曲也謂曲屈其辭有所辟諱以示大順而成篇章（婉）怨晚切注同盡而不汙謂直言其事盡其事實無所汙曲（汙）
憂于切注同懲惡而勸善善名必書惡名不滅所以為懲勸（懲）直升切非聖人誰能脩之
脩史策成此五者○衛侯有疾使孔成子甯惠子立敬姒之子衎以為
大子成子孔達之孫敬姒定公妾衎獻公（衎）徐苦旦切○冬十月衛定公卒夫人姜氏
既哭而息見大子之不哀也不內酌飲歎曰是夫也將不唯衛
國之敗其必始於未亡人定姜言獻公行無禮必從已始下言暴妾使余是也（內）如字徐音納（酌）市

略切又章略切烏呼天禍衛國也夫吾不獲鱄也使主社稷鱄衎之母弟夫音扶
鱄徐市戀切一音專大夫聞之無不聳懼孫文子自是不敢舍其重器於
衛寶器聳息勇切舍音赦或音捨盡寘諸戚寘置也戚孫氏邑寘之豉切而甚善晉大夫備亂
起欲以爲援爲襄十四年衛侯出奔傳
經十有五年春王二月葬衛定公無傳○三月乙巳仲嬰齊卒無傳
襄仲子公孫歸父弟宣十八年逐東門氏既而又使嬰齊紹其後曰仲氏○癸丑公會晉侯衛侯鄭
伯曹伯宋世子成齊國佐邾人同盟于戚戚音城○晉侯執曹伯
歸于京師不稱人以執者曹伯罪不及民歸之京師禮也○公至自會無傳○夏六月宋
公固卒四同盟○楚子伐鄭○秋八月庚辰葬宋共公三月而葬速共音恭
○宋華元出奔晉○宋華元自晉歸于宋華元欲挾晉以自重故以外納告挾音協
○宋殺其大夫山不書氏明背其族○宋魚石出奔楚公子目夷之曾孫○冬
十有一月叔孫僑如會晉士燮齊高無咎宋華元衛孫林父鄭
公子鰌邾人會吳于鍾離吳夷未嘗與中國會今始來通晉帥諸侯大夫而會之故殊會明本非同
好鍾離楚邑淮南縣燮息協切咎其九切鰌音秋好呼報切○許遷于葉許畏鄭南依楚故以自遷爲文葉今
南陽葉縣也葉舒涉切

傳十五年春會于戚討曹成公也討其殺大子而自立事在十三年執而歸諸
京師書曰晉侯執曹伯不及其民也惡不及民凡君不道於其民諸
侯討而執之則曰某人執某侯稱人示衆所欲執不然則否謂身犯不義者諸
侯將見子臧於王而立之子臧辭曰前志有之曰聖達節聖人應天
命不拘常禮見賢遍切應應對之應拘九于切次守節謂賢者下失節愚者妄動爲君非吾節
也雖不能聖敢失守乎遂逃奔宋○夏六月宋共公卒爲下宋亂起
○楚將北師侵鄭衛子囊曰新與晉盟而背之無乃不可乎子反
曰敵利則進何盟之有晉楚盟在十二年子囊莊王子公子貞囊乃郎切申叔時老矣
在申老歸本邑聞之曰子反必不免信以守禮禮以庇身信禮之亡
欲免得乎言不得免庇必利切又音秘楚子侵鄭及暴隧遂侵衛及首止鄭
子罕侵楚取新石新石楚邑隧音遂欒武子欲報楚韓獻子曰無庸庸用

也使重其罪民將叛之（背盟數戰罪也數所角切）無民孰戰（爲明年晉敗楚於鄢陵傳）○
秋八月葬宋共公於是華元爲右師魚石爲左師蕩澤爲司馬
（蕩澤公孫壽之孫）華喜爲司徒（華父督之玄孫）公孫師爲司城（莊公孫）向爲人爲
大司寇鱗朱爲少司寇（鱗矔孫少詩照切下同矔古亂切）向帶爲大宰魚府爲
少宰蕩澤弱公室殺公子肥（輕公室以爲弱故殺其枝黨肥文公子帶音帶本又作帶大音泰）
華元曰我爲右師君臣之訓師所司也今公室卑而不能正（不能
討蕩澤）吾罪大矣不能治官敢賴寵乎乃出奔晉二華戴族也（華元
華喜）司城莊族也六官者皆桓族也（魚石蕩澤向爲人鱗朱向帶魚府皆出桓公）魚石
將止華元魚府曰右師反必討是無桓氏也（恐華元還討蕩澤幷及六族）魚
石曰右師苟獲反雖許之討必不敢（言畏桓族強）且多大功國人與
之不反懼桓氏之無祀於宋也（華元大功克合晉楚之成劫子反以免宋圍）石師討
猶有戌在（向戌桓公曾孫言其賢華元必不討戌音恤）桓氏雖亡必偏（偏不盡）魚石自
止華元于河上請討許之乃反使華喜公孫師帥國人攻蕩氏

殺子山（喜師非桓族故使攻之）書曰宋殺其大夫山言背其族也（蕩氏宋公族還害公
室故去族以示其罪去起呂切）魚石向爲人鱗朱向帶魚府出舍於睢上（睢水名五
大夫畏同族罪及將出奔睢音雖徐許惟切又音綏）華元使止之不可冬十月華元自止
之不可乃反（五子不止華元還）魚府曰今不從不得入矣（不得復入宋復扶又切）
右師視速而言疾有異志焉若不我納今將馳矣登丘而望之
則馳騁而從之（五子亦馳逐之陸云登丘而望之則馳絶句騁勑景切）則決睢澨（澨水涯決壞也）閉門登陴矣左師二司寇二宰遂出奔
（澨市制切涯本又作崖魚佳切一音宜壞音怪）楚（四大夫不書獨魚石告陴毗支切）華元使向戌爲左師老佐爲司馬樂裔爲
司寇以靖國人（老佐戴公五世孫裔以制切）○晉三郤害伯宗譖而殺之及
欒弗忌（欒弗忌晉賢大夫）伯州犁奔楚（伯宗子犁力兮切）韓獻子曰郤氏其不
免乎善人天地之紀也而驟絶之不亡何待（既殺伯宗又及弗忌故曰驟也爲十
七年晉殺三郤傳驟仕救切）初伯宗每朝其妻必戒之曰盜憎主人民惡其
上子好直言必及於難（傳見雖婦人之言不可廢惡烏路切好呼報切難乃旦切見賢遍切）○十

一月會吳于鍾離始通吳也始與中國接○許靈公畏偪于鄭請遷
于楚辛丑楚公子申遷許于葉
經十有六年春王正月雨木冰無傳記寒過節冰封著樹雨木（冰）如字公羊傳云雨而木冰也
舊于付切（著）直略切○夏四月辛未滕子卒不書名未同盟○鄭公子喜帥師侵
宋喜穆公子子罕也○六月丙寅朔日有食之無傳○晉侯使欒黶來乞
師將伐鄭黶欒書子（黶）於斬切徐於玷切○甲午晦晉侯及楚子鄭伯戰于鄢陵
楚子鄭師敗績楚師未大崩楚子傷目而退故曰楚子敗績鄢陵鄭地今屬潁川郡（鄢）謁晚切又於建切○
楚殺其大夫公子側側子反背盟無禮卒以敗師故書名○秋公會晉侯齊侯衛
侯宋華元邾人于沙隨沙隨宋地梁國寧陵縣北有沙隨亭不見公不及鄢陵戰故不諱者恥
輕於執止○公至自會無傳○公會尹子晉侯齊國佐邾人伐鄭尹子王卿
士子爵○曹伯歸自京師爲晉侯所赦故書歸諸侯歸國或書名或不書名或言歸自某或言自某歸傳
無義例從告辭○九月晉人執季孫行父舍之于苕丘苕丘晉地舍之苕丘明不以歸
不稱行人非使人（苕）音條（使）所吏切○冬十月乙亥叔孫僑如出奔齊公未歸命國人逐之

○十有二月乙丑季孫行父及晉郤犨盟于扈晉許魯平故盟○公至
自會無傳伐而以會致史異文○乙酉刺公子偃魯殺大夫皆言刺義取於周禮三刺之法（刺）本又作
刾七賜切
傳十六年春楚子自武城使公子成以汝陰之田求成于鄭汝水
之南近鄭地（近）附近之近鄭叛晉子駟從楚子盟于武城爲晉伐鄭起○夏四月
滕文公卒鄭子罕伐宋宋之與國鄭因滕有喪而伐宋故傳舉滕侯卒侵伐經傳異文經從告傳言
實他皆放此宋將鉏樂懼敗諸汋陂敗鄭師也樂懼戴公六世孫將鉏樂氏族（鉏）仕魚切徐音在魚
切（汋）七藥切徐又音酌一音市藥切（陂）彼宜切退舍於夫渠不儆宋師不儆備（夫）音扶（儆）京領切鄭人
覆之敗諸汋陵獲將鉏樂懼宋恃勝也汋陂夫渠汋陵皆宋地（覆）徐音敷目切一音扶
又切又音芳又切○衛侯伐鄭至于鳴鴈爲晉故也鳴鴈在陳留雍丘縣西北（爲）于僞切
晉侯將伐鄭范文子曰若逞吾願諸侯皆叛晉可以逞逞快也晉厲公
無道三郤驕故欲使諸侯叛冀其懼而思德若唯鄭叛晉國之憂可立俟也欒武子
曰不可以當吾世而失諸侯必伐鄭乃興師欒書將中軍士燮

佐之（代荀庚）郤錡將上軍（代士燮）荀偃佐之（代郤錡偃荀庚子）韓厥將下軍
郤至佐新軍荀罃居守（荀罃下軍佐於是郤犨代趙旃將新軍新上下軍罷矣(犨)手又切）郤犨
如衛遂如齊皆乞師焉欒黶來乞師孟獻子曰有勝矣（卑讓有禮故知
其將勝楚）戊寅晉師起鄭人聞有晉師使告于楚姚句耳與往（句耳鄭大
夫與往非使也為先歸張本(句)古侯切(與)音預(使)所吏切）楚子救鄭司馬將中軍（子反）令尹將
左（子重）右尹子辛將右（公子壬夫）過申子反入見申叔時（叔時老在申(過)古禾切）
曰師其何如對曰德刑詳義禮信戰之器也（器猶用也）德以施惠刑
以正邪詳以事神義以建利禮以順時信以守物民生厚而德
正（財足則思無邪(邪)似嗟切注皆同）用利而事節（動不失利則事得其節）時順而物成（羣生
得所）上下和睦周旋不逆（動順理）求無不具（下應上(應)應對之應）各知其極（無二
心）故詩曰立我烝民莫匪爾極（烝眾也極中也詩頌言先王立其眾民無不得中正(烝)之承切注
同）是以神降之福時無災害民生敦厖和同以聽（敦厚也厖大也(厖)莫邦切）
莫不盡力以從上命致死以補其闕（闕戰死者）此戰之所由克也今

楚內棄其民（不施惠）而外絕其好（義不建利(好)呼報切）瀆齊盟（不詳事神(瀆)徒木切）而
食話言（信不守物(話)戶快切）奸時以動（禮不順時周四月今二月妨農業(奸)音干本或作干）而疲民
以逞（刑不正邪而苟快意(疲)本亦作罷音皮下注同）民不知信進退罪也人恤所底其
誰致死（底至也(底)徐音旨又之履切）子其勉之吾不復見子矣（言其必敗不反(復)(見)一本
無復字(復)扶又切）姚句耳先歸子駟問焉對曰其行速過險而不整速
則失志（不思慮也）不整喪列志失列喪將何以戰楚懼不可用也五
月晉師濟河聞楚師將至范文子欲反曰我偽逃楚可以紓憂
（紓緩也(喪)息浪切下同(紓)音舒）夫合諸侯非吾所能也以遺能者我若羣臣輯
睦以事君多矣武子曰不可六月晉楚遇於鄢陵范文子不欲
戰郤至曰韓之戰惠公不振旅（眾散敗也在僖十五年(遺)唯季切下注問遺也同(輯)又作集音
同亦七入切）箕之役先軫不反命（死於狄也在僖三十三年）邲之師荀伯不復從
（荀林父奔走不復故道在宣十二年(從)徐子容切音或如字）皆晉之恥也子亦見先君之事
矣（見先君成敗之事）今我辟楚又益恥也文子曰吾先君之亟戰也有

故（亟數也亟去吏切數所角切）秦狄齊楚皆彊不盡力子孫將弱今三彊服

矣（齊秦狄）敵楚而已唯聖人能外内無患自非聖人外寧必有内

憂（驕元則憂患生也亢苦浪切）盍釋楚以爲外懼乎甲午晦楚晨壓晉軍而

陳（壓笮其未備盍戶臘切壓於甲切徐於輒切陳直覲切下及注皆同笮側百切）軍吏患之范匄趨進

（匄士燮子匄本又作丐古害切）曰塞井夷竈陳於軍中而踈行首（踈行首者當陳前決開營）

（壘爲戰道行戶郎切一音如字注同壘力軌切）晉楚唯天所授何患焉文子執戈逐之

曰國之存亡天也童子何知焉欒書曰楚師輕窕固壘而待之

三日必退退而擊之必獲勝焉郤至曰楚有六間不可失也其

二卿相惡（子重子反窕勑彫切又勑弔切惡如字又烏路切）王卒以舊（罷老不代卒子忽切下皆同）

鄭陳而不整（不整列）蠻軍而不陳（蠻夷從楚者不結陳）陳不違晦（晦月終陰之盡故兵

家以爲忌）在陳而囂（囂喧譁也囂許驕切徐讀曰敖五高切注及後同喧本又作諠況元切譁本又作譁音華）合

而加囂（陳合宜靜而益有聲）各顧其後莫有鬭心（人恤其所底）舊不必良以犯

天忌我必克之楚子登巢車以望晉軍（巢車車上爲櫓櫓說文作轈云兵車高如巢以

望敵也字林同櫓音魯）子重使大宰伯州犂侍于王後（州犂晉伯宗子前年奔楚大音泰）

王曰騁而左右何也（騁走也）曰召軍吏也皆聚於中軍矣曰合謀

也張幕矣曰虔卜於先君也（虔敬也幕音莫）徹幕矣曰將發命也甚囂

且塵上矣曰將塞井夷竈而爲行也（夷平也上時掌切行戶郎切下公行同）皆乘

矣左右執兵而下矣曰聽誓也（左將帥右車右乘繩證切下同將子匠切下去將同帥所類切

下元帥同）戰乎曰未可知也乘而左右皆下矣曰戰禱也（禱請於鬼神禱丁老切

切或丁報切）伯州犂以公卒告王（公晉侯）苗賁皇在晉侯之側亦以王

卒告（賁皇楚鬬椒子宣四年奔晉賁扶云切）皆曰國士在且厚不可當也（晉侯左右皆以

伯州犂在楚知晉之情且謂楚衆多故憚合戰與苗賁皇意異憚徒旦切）苗賁皇言於晉侯曰楚之

良在其中軍王族而已請分良以擊其左右而三軍萃於王卒

（萃集也萃似醉切）必大敗之公筮之史曰吉其卦遇復䷗（震下坤上復無變）曰

南國蹙射其元王中厥目（此卜者辭也復陽長之卦陽氣起子南行推陰故曰南國蹙也南國勢蹙

則離受其咎離爲諸侯又爲目陽氣激南飛矢之象故曰射其元王中厥目蹙子六切射食亦切注及下射之同中丁仲切注

同長丁丈切徼古狄切國蹶王傷不敗何待公從之從其言而戰有淖於前淖泥
也淖乃孝切徐徒較切乃皆左右相違於淖違辟也步毅御晉厲公欒鍼爲
右步毅即郤毅彭名御楚共王潘黨爲右石首御鄭成公唐苟爲右
欒范以其族夾公行二族強故在公左右共音恭夾古洽切陷於淖欒書將載晉
侯鍼曰書退國有大任焉得專之在君前故子名其父大任謂元帥之職焉於虔切且侵
官冒也載公爲侵官冒莫報切徐莫北切失官慢也去將而御失官也離局姦也遠其部曲
爲離局離力志切注同遠于萬切有三罪焉不可犯也乃掀公以出於淖掀舉也掀
徐許言切云捧轂舉之則公軒起也一曰掀引也胡根切一音虛斤切字林云舉出也火氣也又丘近切癸巳潘尪
之黨與養由基蹲甲而射之徹七札焉黨潘尪之子蹲聚也一發達七札言其能陷堅
尪烏黃切之黨一本作潘尪之子黨案注云黨潘尪之子也則傳文不得有子字古本此及襄二十三年申鮮虞之傳摯皆無
子字蹲在尊切徐又在損切一音才官切札側八切徐側乙切以示王曰君有二臣如此何憂
於戰二子以射夸王夸苦瓜切王怒曰大辱國賤其不尚知謀知音智詰朝爾射死藝
言女以射自多必當以藝死也詰朝猶明朝是戰日朝如字注同女音汝呂錡夢射月中之退入於
泥呂錡魏錡射食亦切下至使射同中丁仲切下及注同占之曰姬姓日也周世姬姓尊異姓
月也異姓卑必楚王也射而中之退入於泥亦必死矣錡自入泥亦死象
及戰射共王中目王召養由基與之兩矢使射呂錡中項伏弢
弢弓衣項戶講切弢他刀切以一矢復命言一發而中郤至三遇楚子之卒見楚
子必下免冑而趨風疾如風楚子使工尹襄問之以弓問遺也曰方
事之殷也殷盛也有韎韋之跗注君子也韎赤色跗注戎服若袴而屬於跗與袴連韎莫
拜切又音妹徐莫蓋切跗方于切注之樹切袴苦故切屬章玉切識見不穀而趨無乃傷乎恐其傷
郤至見客免冑承命曰君之外臣至從寡君之戎事以君之
靈閒蒙甲冑閒猶近也近如字一本或作與音預不敢拜命介者不拜介音界敢告不寧
君命之辱以君辱賜命故不敢自安爲事之故敢肅使者言君辱命來問以有軍事不得荅故
肅使者肅手至地若今撎爲于僞切使所吏切注及下同撎伊志切揖也字林云舉首下手也三肅使者而退
晉韓厥從鄭伯從逐也其御杜溷羅曰速從之其御屢顧不在馬
可及也韓厥曰不可以再辱國君乃止二年鞌戰韓厥已辱齊侯溷戶昏切又戶本切

郤至從鄭伯其右茀翰胡曰諜輅之余從之乘而俘以下欲遣輕兵單進以距鄭伯車前而自後登其車以執之茀府勿切徐音韓諜音牒輅五嫁切乘繩證切輕遣政切又如字郤至曰傷國君有刑亦止石首曰衞懿公唯不去其旗是以敗於熒熒戰在閔二年去起呂切熒戶扃切旌音精乃内旌於弢中唐苟謂石首曰子在君側敗者壹大敗者壹大謂軍大崩也言石首亦君之親臣而執御與車右不同故首當御君以退已當死戰我不如子子以君免我請止乃死楚師薄於險薄迫也叔山冉謂養由基曰雖君有命爲國故子必射王有死藝命冉如琰切爲于僞切射食亦切乃射再發盡殪叔山冉搏人以投中車折軾晉師乃止言二子皆有過人之能如字徐音發殪於計切搏音博中丁仲切折之設切又市列切軾音式囚楚公子茷爲郤至見譖張本茷扶廢切欒鍼見子重之旌請曰楚人謂夫旌子重之麾也彼其子重也日臣之使於楚也子重問晉國之勇臣對曰好以衆整曰又何如又問其餘夫音扶麾許危切日人實切使所吏切下免使者同好呼報切下及注皆同臣對曰好以暇暇閒暇閒音閑今兩國治戎行人不使不可謂整臨事而食言不可謂暇食姧整之言使所吏切又如字請攝飲焉攝持也持飲往飲子重飲於鴆切公許之使行人執榼承飲造于子重承奉也榼苦臘切造七報切曰寡君乏使使鍼御持矛御侍也是以不得犒從者使某攝飲子重曰夫子嘗與吾言於楚必是故也不亦識乎知其以往言好暇故致飲犒苦報切從才用切受而飲之免使者而復鼓免脫也復扶又切注及下同旦而戰見星未已子反命軍吏察夷傷夷亦傷也補卒乘補死亡乘繩證切下同繕甲兵繕治也展車馬展陳也陳如字雞鳴而食唯命是聽復欲戰晉人患之苗賁皇徇曰蒐乘補卒蒐閱也徇似俊切蒐所留切秣馬利兵秣穀馬也秣音末脩陳固列固堅也陳直覲切又如字蓐食申禱申重也蓐音辱重直用切明日復戰乃逸楚囚逸縱也縱子用切王聞之召子反謀穀陽豎獻飲於子反子反醉而不能見穀陽子反内豎見賢遍切王曰天敗楚也夫余不可以待乃宵遁晉入楚軍三日穀食楚粟三日也夫音扶三日穀本或作三日館穀誤也范文子立於戎馬之前曰君幼諸臣不佞佞才也君幼本或作君幼弱何以及此君其戒之戒勿驕周書曰惟命不于常有德之

謂周書康誥言勝無常命惟德是與　楚師還及瑕瑕楚地　王使謂子反曰先大夫
之覆師徒者君不在謂子玉敗城濮時王不在軍覆芳服切　子無以爲過不穀之
罪也子反再拜稽首曰君賜臣死死且不朽王引過亦所以責子反　臣之
卒實奔臣之罪也子重使謂子反曰初隕師徒者而亦聞之矣
盍圖之聞子玉自殺終二卿相惡惡從此已前皆子忽切隕于敏切盍戶臘切　對曰雖微先大夫
有之大夫命側側敢不義言以義命已不敢不受　側亡君師敢忘其死王
使止之弗及而卒○戰之日齊國佐高無咎至于師無咎高固子　衛
侯出于衛公出于壞隤壞隤魯邑齊衛皆後非獨魯明晉以僑如故不見公壞戶怪切徐音懷隤徒回
切　宣伯通於穆姜穆姜成公母　欲去季孟而取其室季文子孟獻子去起呂切　將
行穆姜送公而使逐二子公以晉難告會晉伐鄭難乃旦切　曰請反而聽
命姜怒公子偃公子鉏趨過二子公庶弟鉏仕居切　指之曰女不可是皆
君也言欲廢公更立君女音汝　公待於壞隤申宮儆備申勑宮備儆京領切　設守而後
行是以後後晉楚戰期守手又切　使孟獻子守于公宮○秋會于沙隨謀

伐鄭也鄭猶未服○宣伯使告郤犨曰魯侯待于壞隤以待勝者觀晉是之
勝負郤犨將新軍且爲公族大夫以主東諸侯主齊魯之屬　取貨于宣
伯而訴公于晉侯訴譖也　晉侯不見公○曹人請于晉曰自我先
君宣公即世在十三年　國人曰若之何憂猶未弭弭息也既葬國人皆將從子臧所謂
憂未息弭亡氏切　而又討我寡君前年晉侯執曹伯　以亡曹國社稷之鎮公子
謂子臧逃奔宋　且大泯曹也泯滅也　先君無乃有罪乎言今君無罪而見討得無以先君故
若有罪則君列諸會矣諸侯雖有篡弒之罪侯伯已與之會則不復討前年會于戚曹伯在列盟畢乃
執之故曹人以爲無罪篡初患切弒音試覆扶又切下及下文復請同　君唯不遺德刑遺失也　以伯
諸侯豈獨遺諸敝邑敢私布之爲曹伯歸不以名告傳爲如字又音霸　○七月公
會尹武公及諸侯伐鄭將行姜又命公如初復欲使公逐季孟　公又申
守而行諸侯之師次于鄭西我師次于督揚不敢過鄭督揚鄭東地守
手又切下注同過古臥切又古禾切　子叔聲伯使叔孫豹請逆于晉師豹叔孫僑如弟也僑
如於是遂作亂豹因奔齊　爲食於鄭郊師逆以至聲伯戒叔孫以必須所逆晉師至乃食　聲伯

四日不食以待之食使者使者豹之介食音嗣使所吏切介音界及下文敢介同而後食
言其忠也而後食一本作聲伯而後食諸侯遷于制田滎陽宛陵縣東有制澤知武子佐下
軍武子荀罃以諸侯之師侵陳至于鳴鹿陳國武平縣西南有鹿邑遂侵蔡未反
侵陳蔡不書公不與與音預諸侯遷于潁上戊午鄭子罕宵軍之宋齊衛皆
失軍將主與軍相失宋衛不書後也將子匠切○曹人復請于晉晉侯謂子臧反吾
歸而君以曹人重子臧故子臧反曹伯歸子臧自宋還子臧盡致其邑與卿
而不出不出仕○宣伯使告郤犫曰魯之有季孟猶晉之有欒范
也政令於是乎成今其謀曰晉政多門不可從也政不由君寧事齊
楚有亡而已蔑從晉矣蔑無也若欲得志於魯請止行父而殺之
行父季文子也我斃蔑也蔑孟獻子時留守公宮斃婢世切而事晉蔑有貳矣魯不貳
小國必睦不然歸必叛矣九月晉人執季文子于苕丘公還待
于鄆鄆魯西邑東郡廩丘縣東有鄆城廩力甚切使子叔聲伯請季孫于晉郤犫曰
苟去仲孫蔑而止季孫行父吾與子國親於公室親魯甚於晉公室去起呂

反下同對曰僑如之情子必聞之矣聞其淫慝情慝吐得切下同若去蔑與行
父是大棄魯國而罪寡君也若猶不棄而惠徼周公之福使寡
君得事晉君則夫二人者魯國社稷之臣也若朝亡之魯必夕
亡以魯之密邇仇讎仇讎謂齊楚夫音扶朝如字亡而為讎治之何及言魯屬齊
楚則還為晉讎郤犫曰吾為子請邑對曰嬰齊魯之常隸也隸賤官為于偽切
敢介大國以求厚焉介因也承寡君之命以請承奉也若得所請吾
子之賜多矣又何求范文子謂欒武子曰季孫於魯相二君矣
二君宣成相息亮切妾不衣帛馬不食粟可不謂忠乎信讒慝而棄忠良
若諸侯何子叔嬰齊奉君命無私不受郤犫請邑衣於既切食舊如字對上句應作嗣音
謀國家不貳謂四日不食以堅事晉圖其身不忘其君辭邑不食皆先君而後身若虛
其請是棄善人也子其圖之乃許魯平赦季孫冬十月出叔
孫僑如而盟之僑如奔齊諸大夫共盟以僑如為戒○十二月季孫及郤犫
盟于扈歸刺公子偃偃與鉏俱為姜所指而獨殺偃偃與謀與音預召叔孫豹于齊而

立之近此七月聲伯使豹請逆於晉聞魯人將討僑如豹乃辟其難先奔齊生二子而魯乃召之故襄二年豹始見經傳
於此因言其終辟音避難乃旦切見賢遍切〇齊聲孟子通僑如聲孟子齊靈公母宋女使立於高
國之間位此二卿僑如曰不可以再罪奔衛亦間於卿傳亦終言僑如之使間徐
音間廁之間讀者或如字〇晉侯使郤至獻楚捷于周與單襄公語驟稱其
伐伐功也單子語諸大夫曰溫季其亡乎溫季郤至語魚據切位於七人之
下佐新軍位在八而求掩其上稱己之伐掩上功怨之所聚亂之本也多怨而
階亂何以在位怨為亂階夏書曰怨豈在明不見是圖逸書也不見細微也見賢
遍切又如字將慎其細也今而明之其可乎言郤至顯稱己功所以明怨咎
經十有七年春衛北宮括師師侵鄭括成公曾孫括古活切〇夏公會尹
子單子晉侯齊侯宋公衛侯曹伯邾人伐鄭晉未能服鄭故假天子威周使二卿
會之晉為兵主而猶先尹單尊王命也單伯稱子蓋降爵〇六月乙酉同盟于柯陵柯陵鄭西地柯
古河切〇秋公至自會無傳〇齊高無咎出奔莒〇九月辛丑用郊
無傳九月郊祭非禮明矣書用郊從史文〇晉侯使荀罃來乞師無傳將伐鄭〇冬公會

單子晉侯宋公衛侯曹伯齊人邾人伐鄭鄭猶未服故〇十有一月
公至自伐鄭無傳〇壬申公孫嬰齊卒于貍脤十一月無壬申日誤也貍脤闕貍力
之切脤市軫切〇十有二月丁巳朔日有食之無傳〇邾子貜且卒無傳五同
盟貜俱縛切徐居碧切且子餘切〇晉殺其大夫郤錡郤犨郤至〇楚人滅舒
庸
傳十七年春王正月鄭子駟侵晉虛滑虛滑晉二邑滑故滑國為秦所滅時屬晉後屬
周虛起居切衛北宮括救晉侵鄭至于高氏不書救以侵告高氏在陽翟縣西南夏五
月鄭大子髡頑侯獳為質於楚侯獳鄭大夫髡苦門切獳乃侯切質音致楚公子成
公子寅戍鄭公會尹武公單襄公及諸侯伐鄭自戲童至于曲
洧今新汲縣治曲洧城臨洧水戲許宜切洧于軌切治直吏切〇晉范文子反自鄢陵前年鄢陵
戰還使其祝宗祈死祝宗主祭祀祈禱者曰君驕侈而克敵是天益其疾也
難將作矣愛我者惟祝我使我速死無及於難范氏之福也六
月戊辰士燮卒傳言厲公無道故賢臣憂懼因禱自裁侈尺氏切又尸氏切難乃旦切祝之又切〇乙

酉同盟于柯陵尋戚之盟也（戚盟在十五年）○楚子重救鄭師于首止
諸侯還（畏楚強）○齊慶克通于聲孟子與婦人蒙衣乘輦而入于
閎（慶克慶封父蒙衣亦爲婦人服與婦人相冒閎巷門〔閎〕如字徐音預〔閎〕音宏〔冒〕亡報切）鮑牽見之以告
國武子（鮑牽鮑叔牙曾孫）武子召慶克而謂之慶克久不出（慙卧於家夫人所以
怪之）而告夫人曰國子讁我（讁譴責也〔讁〕直革切〔譴〕遣戰切）夫人怒國子相靈公
以會（會伐鄭〔相〕息亮切下相施氏同）高鮑處守（高無咎鮑牽〔守〕手又切）及還將至閉門而
索客（蒐索備姦人〔索〕所白切）孟子訴之曰高鮑將不納君而立公子角國
子知之（角頃公子〔頃〕音傾）秋七月壬寅刖鮑牽而逐高無咎無咎奔莒
高弱以盧叛（弱無咎子盧高氏邑〔刖〕音月又五刮切）齊人來召鮑國而立之（國牽之弟
文子）初鮑國去鮑氏而來爲施孝叔臣施氏卜宰匡句須吉（卜五家宰
〔句〕其俱切）施氏之宰有百室之邑與匡句須邑使爲宰以讓鮑國而
致邑焉施孝叔曰子實吉對曰能與忠良吉孰大焉鮑國相施
氏忠故齊人取以爲鮑氏後仲尼曰鮑莊子之知不如葵葵猶

能衛其足（葵傾葉向日以蔽其根言鮑牽居亂不能危行言孫〔知〕音智〔向〕許亮切本又作嚮〔行〕下孟切）○冬
諸侯伐鄭（前夏未得志故）十月庚午圍鄭楚公子申救鄭師于汝上十
一月諸侯還（不書圍畏楚救不成圍而還）○初聲伯夢涉洹（洹水出汲郡林慮縣東北至魏
郡長樂縣入清水〔洹〕音桓一音恒今土俗音袁〔慮〕力於切〔樂〕音洛下平樂縣同）或與已瓊瑰食之（瓊玉瑰珠
也食珠玉含象〔瓊〕求營切〔瑰〕古回切〔含〕戶暗切本亦作唅）泣而爲瓊瑰盈其懷（淚下化爲珠玉滿其懷）
從而歌之曰濟洹之水贈我以瓊瑰歸乎歸乎瓊瑰盈吾懷乎
（從就也夢中爲此歌）懼不敢占也還自鄭壬申至于貍脤而占之曰余恐
死故不敢占也今衆繁而從余三年矣無傷也言之之莫而卒
（繁猶多也傳戒數占夢〔莫〕音暮〔數〕所角切）○齊侯使崔杼爲大夫使慶克佐之帥師
圍盧（討高弱〔杼〕直呂切）國佐從諸侯圍鄭以難請而歸（請於諸侯〔難〕乃旦切下同）遂
如盧師殺慶克以穀叛（疾克淫亂故殺之）齊侯與之盟于徐關而復之
十二月盧降使國勝告難于晉待命于清（勝國佐子使以高氏難告晉齊欲討國佐
故留其子於外清陽平樂縣是爲明年殺國佐傳〔降〕下江切）○晉厲公侈多外嬖（外嬖愛幸大夫〔嬖〕必計切）

十一月[illegible]國[illegible]告[illegible]于晉[illegible]令于[illegible]之盟于[illegible]

[illegible]以國[illegible]諸侯[illegible]國[illegible]以[illegible]

[illegible]也今[illegible]從[illegible]三年[illegible]大夫[illegible]

[illegible]曰[illegible]以[illegible]水[illegible]以[illegible]而[illegible]

[illegible]

一月諸侯[illegible]十月[illegible]于[illegible]公于中[illegible]

諸侯[illegible]

[illegible]

同盟于柯陵尋[illegible]之盟也[illegible]

反自鄢陵欲盡去羣大夫而立其左右（終如士燮言〔反自鄢〕一本作自鄢陵〔去〕起呂切）胥童以胥克之廢也怨郤氏（童胥克之子宣八年郤缺廢胥克）而嬖於厲公郤錡奪夷陽五田五亦嬖於厲公郤犨與長魚矯爭田執而梏之（梏械也〔矯〕居表切〔梏〕去拏切〔械〕戶戒切）與其父母妻子同一轅（繫之車轅）既矯亦嬖於厲公欒書怨郤至以其不從己而敗楚師也欲廢之（鄢陵戰欒書欲固壘郤至言楚有六間以取勝也）使楚公子茷告公曰此戰也郤至實召寡君（鄢陵戰晉囚公子茷以歸）以東師之未至也（齊魯衛之師）與軍帥之不具也曰此必敗（荀罃佐下軍居守郤犨將新軍乞師故言不具〔帥〕所類切〔守〕手又切）吾因奉孫周以事君（孫周晉襄公曾孫悼公君楚王也）公告欒書書曰其有焉不然豈其死之不恤而受敵使乎（謂鄢陵戰時楚子問郤至以弓〔使〕所吏切）君盍嘗使諸周而察之（嘗試也〔盍〕戶臘切〔使〕所吏切又如字）郤至聘于周欒書使孫周見之公使覘之信（覘伺也〔覘〕勑廉切〔伺〕音司又絲嗣切）遂怨郤至厲公田與婦人先殺而飲酒後使大夫殺（傳言厲公無道先婦人而後卿佐）郤至奉豕（進之於公）寺人孟張奪之（寺人奄士）郤至射而

殺之公曰季子欺余（季子郤至公反以爲郤至奪孟張豕〔射〕食亦切）厲公將作難胥童曰必先三郤族大多怨去大族不偪（不偪公室〔偪〕彼力切）敵多怨有庸（討多怨者易有功〔易〕以豉切）公曰然郤氏聞之郤錡欲攻公曰雖死君必危郤至曰人所以立信知勇也信不叛君知不害民勇不作亂失茲三者其誰與我死而多怨將安用之（言俱死無用多其怨咎〔知〕音智）君實有臣而殺之其謂君何我之有罪吾死後矣若殺不辜將失其民欲安得乎（言不得安君位）待命而已受君之祿是以聚黨有黨而爭命（爭死命）罪孰大焉（傳言郤至無反心）壬午胥童夷羊五帥甲八百將攻郤氏（八百人）長魚矯請無用衆公使清沸魋助之（沸魋亦嬖人〔沸〕甫味切〔魋〕徒回切）抽戈結衽（衽裳際〔衽〕而甚切徐音而鴆切）而僞訟者（僞與清沸魋訟）三郤將謀於榭（榭講武堂）矯以戈殺駒伯苦成叔於其位（位所坐處也駒伯郤錡苦成叔郤犨〔處〕昌慮切）溫季曰逃威也遂趨（郤至本意欲禀君命而死今矯等不以君命而來故欲逃凶賊爲害故曰威言可畏也或曰威當爲藏）矯及諸其車以戈殺之皆尸諸朝（陳其尸於朝）胥童以甲劫欒書

中行偃於朝矯曰不殺二子憂必及君公曰一朝而尸三卿余
不忍益也對曰人將忍君人謂書與偃一朝如字臣聞亂在外爲姦在內
爲軌御姦以德德綏遠軌本又作宄音同御魚呂切下同御軌以刑刑治近不施而殺
不可謂德臣偪而不討不可謂刑德刑不立姦軌並至臣請行
遂出奔狄行去也施如字或式豉切公使辭於二子辭謝書與偃曰寡人有討於
郤氏郤氏既伏其辜矣大夫無辱其復職位胥童劫而執之故云辱皆再
拜稽首曰君討有罪而免臣於死君之惠也二臣雖死敢忘君
德乃皆歸公使胥童爲卿公遊于匠麗氏匠麗嬖大夫家欒書中行偃
遂執公焉召士匄士匄辭辭不往召韓厥韓厥辭曰昔吾畜於趙
氏孟姬之讒吾能違兵畜養也違去也韓厥少爲趙盾所待養及孟姬之亂晉將討趙氏而厥去其兵
示不與黨言此者明已無所偏助孟姬亂在八年去起呂切少詩照切古人有言曰殺老牛莫之
敢尸而況君乎二三子不能事君焉用厥也尸主也焉於虔切○舒庸
人以楚師之敗也敗於鄢陵舒庸東夷國道吳人圍巢伐駕圍釐虺巢駕釐虺
楚四邑圍音尊下及注同駕如字一音加釐力之切虺許鬼切遂恃吳而不設備楚公子橐師

襲舒庸滅之○閏月乙卯晦欒書中行偃殺胥童以其劫己故橐他洛切
民不與郤氏胥童道君爲亂故皆書曰晉殺其大夫厲公以私欲殺三郤
而三郤死不以無罪書書偃以家怨害胥童而胥童受國討文明郤氏失民胥童道亂宜其爲國戮
經十有八年春王正月晉殺其大夫胥童傳在前年經在今春從告○庚申
晉弒其君州蒲不稱臣君無道○齊殺其大夫國佐國武子○公如晉○
夏楚子鄭伯伐宋○宋魚石復入于彭城傳例曰以惡入也彭城宋邑今彭城縣復
扶又切○公至自晉○晉侯使士匄來聘○秋杞伯來朝○八月
邾子來朝○築鹿囿築牆爲鹿苑囿音又○己丑公薨于路寢○冬楚人
鄭人侵宋子重先遣輕軍侵宋故稱人而不言伐輕遣政切○晉侯使士魴來乞師魴音
房○十有二月仲孫蔑會晉侯宋公衛侯邾子齊崔杼同盟于
虛朾虛朾地闕虛起居切朾他丁切○丁未葬我君成公
傳十八年春王正月庚申晉欒書中行偃使程滑弒厲公程滑晉大

夫葬之于翼東門之外以車一乘言不以君禮葬諸侯葬車七乘乘繩證切使荀罃

士魴逆周子于京師而立之悼公周生十四年矣大夫逆于清原

周子曰孤始願不及此雖及此豈非天乎言有命抑人之求君使

出命也立而不從將安用君二三子用我今日否亦今日共而

從君神之所福也傳言其少有才所以能自固少詩照切對曰羣臣之願也敢不

唯命是聽庚午盟而入與諸大夫盟館于伯子同氏晉大夫家館舍也辛巳

朝于武宮武公曲沃始命君逐不臣者七人夷羊五之屬周子有兄而無慧

不能辨菽麥故不可立菽大豆也豆麥殊形易別故以爲癡者之候不慧蓋世所謂白癡菽音叔易以

豉切別彼列切癡勑疑切○齊爲慶氏之難前年國佐殺慶克爲于僞切難乃旦切故甲申晦

齊侯使士華免以戈殺國佐于內宮之朝華免齊大夫內宮夫人宮師逃于

夫人之宮伏兵內宮恐不勝書曰齊殺其大夫國佐棄命專殺以穀叛

故也國佐本疾淫亂殺慶克齊以是討之嫌其罪不及死故傳明言其三罪使清人殺國勝勝國佐子

前年待命于清者國弱來奔弱勝之弟王湫奔萊湫國佐黨湫子小切徐子鳥切萊音來慶封

爲大夫慶佐爲司寇封佐皆慶克子既齊侯反國弱使嗣國氏禮也佐之

罪不及不祀○二月乙酉朔晉悼公即位于朝朝廟五日而即位也厲公殺絕故悼公不

以嗣子居喪殺音試始命百官始爲政施舍已責施恩惠舍勞役止逋責施如字一音始豉切逋布吳

切逮鰥寡惠及微鰥古頑切振廢滯起舊德匡乏困救災患匡亦救也禁淫慝

薄賦斂宥罪戾宥寬也慝他得切斂力驗切宥音又戾力計切節器用節省也省所景切下同時

用民使民以時欲無犯時不縱私欲縱本亦作從子用切使魏相士魴魏頡趙武爲

卿相魏錡子魴士會子頡魏顆子武趙朔子此四人其父祖皆有勞於晉國相息亮切頡戶結切顆苦果切荀家荀

會欒黶韓無忌爲公族大夫使訓卿之子弟共儉孝弟無忌韓厥子弟

音悌本亦作悌使士渥濁爲大傅使脩范武子之法渥濁士貞子武子爲景公大傅渥於

角切右行辛爲司空使脩士蔿之法辛將右行因以爲氏士蔿獻公司空也行戶郎切蔿于委

切將子匠切弁糾御戎校正屬焉弁糾欒糾也校正主馬官弁皮彥切本又作卞同糾居黝切校戶孝

切使訓諸御知義戎士尚節義荀賓爲右司士屬焉司士車右之官使訓勇

力之士時使勇力皆車右也勇力多不順命故訓之以共時之使共音恭本亦作供下文同卿無共御

立軍尉以攝之（省卿戎御令軍尉攝御而已〔省〕所景切〔令〕力呈切）祁奚爲中軍尉羊舌職佐之魏絳爲司馬（魏犨子也）張老爲候奄鐸遏寇爲上軍尉籍偃爲之司馬（偃籍談父爲上軍司馬〔鐸〕待洛切〔遏〕於葛切徐音謁）使訓卒乘親以聽命（相親以聽上命〔卒〕子忽切〔乘〕繩證切下及注同）程鄭爲乘馬御六騶屬焉使訓羣騶知禮（程鄭荀氏別族乘馬御乘車之僕也六騶六閑之騶周禮諸侯有六閑馬乘車尚禮容故訓羣騶使知禮〔騶〕側留切）凡六官之長皆民譽也（大國三卿晉時置六卿爲軍帥故揔舉六官則知羣官無非其人〔長〕丁丈切〔帥〕所類切）舉不失職官不易方（官守其業無相踰易）爵不踰德（量德授爵）師不陵正旅不偪師（正軍將命卿也師二千五百人之帥也旅五百人之帥也言上下有禮不相陵偪）民無謗言所以復霸也（此以上通言悼公所行未必皆在即位之年〔復〕扶又切下及注復入皆同〔上〕時掌切）○公如晉朝嗣君也○夏六月鄭伯侵宋及曹門外（曹門宋城門）遂會楚子伐宋取朝郟楚子辛鄭皇辰侵城郜取幽丘同伐彭城（朝郟城郜幽丘皆宋邑取朝如字〔郟〕古洽切〔郜〕古報切）納宋魚石向爲人鱗朱向帶魚府焉（五子以十五年出奔楚獨書魚石爲帥告）以三百乘戍之而還書曰復入（惡其衣阻大國以兵威還故書復入〔乘〕繩證切〔惡〕烏路切）凡去其國國逆而立之曰入（謂本無位紹繼而立）復其位曰復歸（亦國逆〔復〕音服又扶又切）諸侯納之曰歸（謂諸侯以言語告請而納之有位無位皆曰歸）以惡曰復入（謂身爲戎首稱兵入伐害國殄民者也此四條所以明外內之援辭逆順之辭通君臣取國有家之大例以惡曰復入或作以惡入曰復入）宋人患之西鉏吾曰何也（西鉏吾宋大夫〔鉏〕仕居切徐在居切〔吾〕音魚）若楚人與吾同惡以德於我吾固事之也不敢貳矣（惡謂魚石）大國無厭鄙我猶憾（言已事之則以我爲鄙邑猶恨不足此吾患也〔厭〕於鹽切〔憾〕戶暗切）不然而收吾憎使贊其政（謂不同惡魚石而用之使佐政）以間吾釁亦吾患也今將崇諸侯之姦而披其地（崇長也謂楚今取彭城以封魚石披猶分也〔間〕如字又間廁之間〔釁〕許靳切〔披〕普彼切〔長〕丁丈切）以塞夷庚（夷庚吳晉往來之要道楚封魚石於彭城欲以絶吳晉之道）逞姦而攜服毒諸侯而懼吳晉（隔吳晉之道故懼攜離也）吾庸多矣非吾憂也且事晉何爲晉必恤之（言宋常事晉何爲顧有此患難〔難〕乃旦切）○公至自晉晉范宣子來聘且拜朝也（拜謝公朝）君子謂晉於是乎有禮（有卑讓之禮）○秋杞桓公來朝勞公且問晉故公以晉君語之（語其德政〔勞〕力報切〔語〕魚據切）杞伯於是驟朝于晉而請

為昏為平公不徹樂張本○七月宋老佐華喜圍彭城老佐卒焉言所以不克彭城○八月邾宣公來朝即位而來見也見賢遍切○築鹿囿書不時也非土功時○己丑公薨于路寢言道也在路寢得君薨之道○冬十一月楚子重救彭城伐宋使偏師與鄭人侵宋子重為後鎮宋華元如晉告急韓獻子為政於是欒書卒韓厥代將中軍曰欲求得人必先勤之勤恤其急成霸安疆自宋始矣晉侯師于台谷以救宋台谷地闕台勑才切一音臺遇楚師于靡角之谷楚師還畏晉強也靡角宋地○晉士魴來乞師將救宋季文子問師數於臧武仲武仲宣叔之子對曰伐鄭之役知伯實來下軍之佐也知伯荀罃今彘季亦佐下軍彘季士魴彘直例切如伐鄭可也伐鄭在十七年事大國無失班爵而加敬焉禮也從之從武仲言○十二月孟獻子會于虛朾謀救宋也宋人辭諸侯而請師以圍彭城不敢煩諸侯故但請其師為襄元年圍彭城傳○孟獻子請于諸侯而先歸會葬丁未葬我君成公書順也薨于路寢五月而葬國家安靜世適承嗣故曰書順也適丁歷切

春秋左氏傳卷第十三

春秋經傳集解襄元第十四[陸云襄公名午成公子母定姒謚法因事有功曰襄辟土有德曰襄]

杜氏　盡九年

經元年春王正月公即位[無傳於是公年四歲]○仲孫蔑會晉欒黶宋華元衛甯殖曹人莒人邾人滕人薛人圍宋彭城[魯與謀於虛打而書會者稟命霸主非四敵故與音預]○夏晉韓厥帥師伐鄭○仲孫蔑會齊崔杼曹人邾人杞人次于鄫[鄫鄭地在陳留襄邑縣東南書次兵不加鄭次鄫以待晉師鄫才陵切]○秋楚公子壬夫帥師侵宋○九月辛酉天王崩[無傳辛酉九月十五日]○邾子來朝○冬衛侯使公孫剽來聘[剽子叔黑背子剽匹妙切字林匹召切]○晉侯使荀罃來聘[冬者十月初也王崩赴未至皆未聞喪故各得行朝聘之禮而傳善之]

傳元年春己亥圍宋彭城[下有二月則此己亥為正月正月無己亥日誤]非宋地追書也[成十八年楚取彭城以封魚石故曰非宋地夫子治春秋追書繫之宋]於是為宋討魚石故稱宋且不登叛人也[登成也不與其專邑叛君故使彭城還繫宋為于偽切]謂之宋志[稱宋亦以成宋志]彭城降晉晉人以宋五大夫在彭城者歸寘諸瓠丘[彭城降不書賤略之瓠丘晉地河東東垣縣東南有壺丘五大夫魚石向為人鱗朱向帶魚府降戶江切寘之豉切瓠徐侯吳切一音戶故切垣音袁]齊人不會彭城晉人以為討二月齊大子光為質於晉[光齊靈公大子質音致]○夏五月晉韓厥荀偃帥諸侯之師伐鄭入其郛[荀偃不書非元帥郛芳夫切帥所類切]敗其徒兵於洧上[徒兵步兵洧水出密縣東南至長平入潁洧于軌切]於是東諸侯之師次于鄫以待晉師[齊魯曹邾杞]晉師自鄭以鄫之師侵楚焦夷及陳[於是孟獻子自鄭先歸不與侵陳楚故不書焦如字徐在堯切與音預]晉侯衛侯次于戚以為之援[為韓厥援]○秋楚子辛救鄭侵宋呂留[呂留二縣今屬彭城郡]鄭子然侵宋取犬丘[譙國酇縣東北有犬丘城迂迴疑酇才河切又子旦切迂音于]○九月邾子來朝禮也[邾宣公]○冬衛子叔晉知武子來聘禮也凡諸侯即位小國朝之[小事大]大國聘焉[大字小]以繼好結信謀事補闕禮之大者也[闕猶過也禮以安國家利民人為大好呼報切]

經二年春王正月葬簡王[無傳五月而葬速]○鄭師伐宋[書伐從告]○夏五月庚寅夫人姜氏薨○六月庚辰鄭伯睔卒[未與襄同盟而赴以名庚辰七月九

日書六月經誤(輪)古困切徐又胡忖切○晉師宋師衛甯殖侵鄭宋雖非卿師重故敘衛上(殖)市力切○秋七月仲孫蔑會晉荀罃宋華元衛孫林父曹人邾人于戚○己丑葬我小君齊姜齊謚也三月而葬速(齊)如字或音側皆切非○叔孫豹如宋豹於此始自齊還爲卿○冬仲孫蔑會晉荀罃齊崔杼宋華元衛孫林父曹人邾人滕人薛人小邾人于戚遂城虎牢以偪鄭○楚殺其大夫公子申

傳二年春鄭師侵宋楚令也以彭城故○齊侯伐萊萊人使正輿子賂夙沙衛以索馬牛皆百匹夙沙衛齊寺人索簡擇好者(萊)音來(輿)音餘本亦作與(索)所白切齊師乃還君子是以知齊靈公之爲靈也謚法亂而不損曰靈言謚應其行(應)應對之應(行)下孟切○夏齊姜薨初穆姜使擇美檟檟梓之屬(檟)古雅切木名以自爲櫬與頌琴櫬棺也頌琴琴名猶言雅琴皆欲以送終(櫬)初覲切季文子取以葬君子曰非禮也禮無所逆婦養姑者也虧姑以成婦逆莫大焉穆姜成公母齊姜成公婦(養)余亮切詩曰其惟哲人告之話言順德之行詩大雅哲知也話善也言知者行事無不順(話)戶快切(知)音智下同季孫於是爲不哲矣言逆德陸云一本作不爲哲矣且姜氏君之妣也襄公適母故曰君之妣(妣)必履切(適)丁歷切本又作嫡詩曰爲酒爲醴烝畀祖妣以洽百禮降福孔偕詩周頌烝進也畀與也偕偏也言敬事祖妣則鬼神降福季孫葬姜氏不以禮是不敬祖妣(烝)之承切(畀)必利切(洽)戶夾切(偕)音皆(徧)音遍齊侯使諸姜宗婦來送葬宗婦同姓大夫之婦婦人越疆送葬非禮(疆)居良切召萊子萊子不會故晏弱城東陽以偪之爲六年滅萊傳東陽齊竟上邑(竟)音境○鄭成公疾子駟請息肩於晉欲辟楚役以負擔揄(擔)都暫切公曰楚君以鄭故親集矢於其目謂鄢陵戰晉射楚王目(射)食亦切非異人任寡人也言楚子任患不爲他人蓋在己陸云非異人任絕句(任)音壬一讀至人字絕句(爲)于僞切若背之是棄力與言其誰暱我言盟誓之言(背)音佩棄力服本作棄功(暱)本作昵女乙切徐乃吉切免寡人唯二三子秋七月庚辰鄭伯睔卒於是子罕當國攝君事子駟爲政爲政卿子國爲司馬晉師侵鄭晉伐喪非禮諸大夫欲從晉子駟曰官命未改成公未葬嗣君未免喪故言未改不欲違先君意會于戚謀鄭故也鄭久叛晉謀討之孟獻子曰請城虎牢以偪鄭虎牢舊鄭邑今屬晉知武子曰善鄫

之會吾子聞崔子之言今不來矣元年孟獻子與齊崔杼次于鄫崔杼有不服晉之言獻子
以告知武子滕薛小邾之不至皆齊故也三國齊之屬寡君之憂不唯鄭
言復憂齊叛復扶又切下同䓨將復於寡君而請於齊以城事白晉君而請齊會之欲以觀齊志
得請而告吾子之功也得請謂齊人應命告諸侯會築虎牢若不得請事將在齊
將伐齊吾子之請諸侯之福也城虎牢足以服鄭息征伐豈唯寡君賴之傳言荀䓨
能用善謀○穆叔聘于宋通嗣君也○冬復會于戚齊崔武子及滕
薛小邾之大夫皆會知武子之言故也武子言事將在齊齊人懼帥小國而會之遂
城虎牢鄭人乃成如孟獻子之謀○楚公子申為右司馬多受小國之
賂以偪子重子辛偪奪其權勢楚人殺之故書曰楚殺其大夫公子
申言所以致國討之文
經三年春楚公子嬰齊帥師伐吳○公如晉○夏四月壬戌公
及晉侯盟于長樗晉侯出其國都與公盟于外樗勑居切○公至自晉無傳不以長樗至本
非會○六月公會單子晉侯宋公衛侯鄭伯莒子邾子齊世子光己
未同盟于雞澤雞澤在廣平曲梁縣西南周靈王新即位使王官伯出與諸侯盟以安王室故無譏單音善
○陳侯使袁僑如會陳疾楚政而來屬晉本非召會而自來故言如會僑其驕切○戊寅叔
孫豹及諸侯之大夫及陳袁僑盟諸侯既盟袁僑乃至故使大夫別與之盟言諸侯之大夫
則在雞澤之諸侯也殊袁僑者明諸侯大夫所以盟盟袁僑也據傳盟在秋長歷推戊寅七月十三日經誤○秋公
至自會無傳○冬晉荀䓨帥師伐許
傳三年春楚子重伐吳為簡之師簡選練克鳩茲至于衡山鳩茲吳邑
在丹陽無湖縣東今皐夷也衡山在吳興烏程縣南使鄧廖帥組甲三百被練三千組甲被練
皆戰備也組甲漆甲成組文被練練袍廖力彫切組音祖被皮義切徐扶僞切以侵吳吳人要而擊之
獲鄧廖其能免者組甲八十被練三百而已子重歸既飲至三
日吳人伐楚取駕駕良邑也鄧廖亦楚之良也君子謂子重於
是役也所獲不如所亡當時君子要於遙切楚人以是咎子重子重病之
遂遇心疾而卒憂恚故成心疾咎其九切恚一瑞切○公如晉始朝也公即位而朝○
夏盟于長樗孟獻子相公稽首相儀也稽首首至地相息亮切知武子曰天子

在而君辱稽首寡君懼矣 稽首事天子之禮 孟獻子曰以敝邑介在東表密邇仇讎 仇讎謂齊楚與晉爭介音界爭爭鬭之爭 寡君將君是望敢不稽首 傳言獻子能固事盟主 ○晉爲鄭服故且欲脩吳好 鄭服在前年爲于僞切好呼報切 將合諸侯使士匄告于齊曰寡君使匄以歲之不易不虞之不戒寡君願與一二兄弟相見 不易多難也虞度也戒備也列國之君相謂兄弟易以豉切難乃旦切度待洛切 以謀不協請君臨之使匄乞盟齊侯欲勿許而難爲不協乃盟於耏外 與士匄盟耏水名耏音而 ○祁奚請老 老致仕 晉侯問嗣焉 嗣續其職者 稱解狐其讎也將立之而卒 解狐卒解音蟹 又問焉對曰午也可 午祁奚子 於是羊舌職死矣晉侯曰孰可以代之對曰赤也可 赤職之子伯華 於是使祁午爲中軍尉羊舌赤佐之 各代其父 君子謂祁奚於是能舉善矣稱其讎不爲諂立其子不爲比舉其偏不爲黨 諂媚也偏屬也諂他檢切比毗志切 商書曰無偏無黨王道蕩蕩 商書洪範也蕩蕩平正無私 其祁奚之謂矣解狐得舉 未得位故曰得舉 祁午得位伯華得官建一官而三物成 一官軍尉物事也 能舉善也夫唯善故能舉其類詩云惟其有之是以似之祁奚有焉 詩小雅言唯有德之人能舉似已者也夫音扶絕句一讀以夫爲下句首 ○六月公會單頃公及諸侯己未同盟于雞澤 單頃公王卿士頃音傾 晉侯使荀會逆吳子于淮上吳子不至 道遠多難 ○楚子辛爲令尹侵欲於小國陳成公使袁僑如會求成 患楚侵欲袁僑濤塗四世孫 晉侯使和組父告于諸侯 告陳服 秋叔孫豹及諸侯之大夫及陳袁僑盟陳請服也 其君不來使大夫盟之四敵之宜 ○晉侯之弟揚干亂行於曲梁 行陳次行戶郎切陳直覲切 魏絳戮其僕 僕御也 晉侯怒謂羊舌赤曰合諸侯以爲榮也揚干爲戮何辱如之必殺魏絳無失也對曰絳無貳志事君不辟難有罪不逃刑其將來辭何辱命焉言終魏絳授僕人書 僕人晉侯御僕 將伏劍士魴張老止之公讀其書曰日君乏使使臣斯司馬 斯此也 臣聞師衆以順爲武 順莫敢違 軍事有死無犯爲敬 守官行法雖死不敢有違 君合諸侯臣敢不敬君師不武執事不敬罪莫大焉臣懼其死

以及揚干無所逃罪（懼自犯不武不敬之罪）不能致訓至於用鉞（用鉞斬揚干之僕〔鉞〕音越）臣之罪重敢有不從以怒君心（言不敢不從戮）請歸死於司寇（致尸於司寇使戮之）公跣而出曰寡人之言親愛也吾子之討軍禮也寡人有弟弗能教訓使干大命寡人之過也子無重寡人之過（聽絳死為重過〔跣〕先典切重直用切注同）敢以為請（請使無死）晉侯以魏絳為能以刑佐民矣反役與之禮食使佐新軍（羣臣旅會今欲顯絳故特為設禮食〔食〕音嗣又如字〔為〕于偽切）張老為中軍司馬（代魏絳）士富為候奄（代張老士富士會別族）○楚司馬公子何忌侵陳陳叛故也○許靈公事楚不會于雞澤冬晉知武子帥師伐許

經四年春王三月己酉陳侯午卒（前年大夫盟雞澤三月無己酉日誤）○夏叔孫豹如晉○秋七月戊子夫人姒氏薨（成公妾襄公母姒杞姓）○葬陳成公（無傳）○八月辛亥葬我小君定姒（無傳定謚也赴同祔姑反哭成喪皆以正夫人禮母以子貴踰月而葬速）○冬公如晉○陳人圍頓

傳四年春楚師為陳叛故猶在繁陽（前年何忌之師侵陳今猶未還繁陽楚地在汝南鮦陽縣南〔為〕于偽切〔鮦〕孟康音紂直久切一音童或音直勇切非）韓獻子患之言於朝曰文王帥殷之叛國以事紂唯知時也（知時未可爭）今我易之難哉（晉力未能服楚受陳）三月陳成公卒楚人將伐陳聞喪乃止（軍禮不伐喪）陳人不聽命（不聽楚命）臧武仲聞之曰陳不服於楚必亡大國行禮焉而不服在大猶有咎而況小乎夏楚彭名侵陳陳無禮故也（為下陳圍頓傳〔咎〕其九切）○穆叔如晉報知武子之聘也（武子聘在元年）晉侯享之金奏肆夏之三不拜（肆夏樂曲名周禮以鍾鼓奏九夏其二曰肆夏一名樊三曰韶夏一名遏四曰納夏一名渠蓋擊鍾而奏此三夏曲〔夏〕戶雅切注及下皆同〔九〕〔夏〕一曰王夏二曰肆夏三曰韶夏四曰納夏五曰章夏六曰齊夏七曰族夏八曰陔夏九曰鷔夏肆夏一名樊國語云金奏肆夏樊遏渠杜遂分為三夏之別名呂叔王云肆夏時邁也樊遏執競也渠思文也〔韶〕上招切〔遏〕於葛切納夏本或為夏納誤〔渠〕其居切）工歌文王之三又不拜（工樂人也文王之三大雅之首文王大明緜）歌鹿鳴之三三拜（小雅之首鹿鳴四牡皇皇者華）韓獻子使行人子員問之（行人通使之官〔員〕音云徐于貧切〔使〕所吏切下同）曰子以君命辱於敝邑先君之

禮藉之以樂以辱吾子（藉薦也在夜切）〔藉〕吾子舍其大而重拜其細敢問何禮也對曰三夏天子所以享元侯也使臣弗敢與聞（元侯牧伯）〔舍〕音捨〔重〕直用切下皆同〔與〕音預下及與同〔聞〕徐音問文王兩君相見之樂也臣不敢及（及與也文王之三皆稱文王之德受命作周故諸侯會同以相樂〔樂〕音洛）鹿鳴君所以嘉寡君也敢不拜嘉（晉以叔孫爲嘉賓故歌周鳴之詩取其我有嘉賓叔孫奉君命而來嘉叔孫乃所以嘉魯君）四牡君所以勞使臣也敢不重拜（詩言使臣乘四牡騑騑然行不止勤勞也晉以叔孫來聘故以此勞之〔勞〕力報切注勞之同〔騑〕芳非切）皇皇者華君教使臣曰必諮於周（皇皇者華君遣使臣之詩言忠臣奉使能光輝君命如華之皇皇然又當諮于忠信以補己不及忠信爲周其詩曰周爰諮諏周爰諮謀周爰諮度周爰諮詢言必於忠信之人諮此四事〔諏〕子須切〔度〕待洛切〔詢〕音荀）臣聞之訪問於善爲咨（問善道）咨親爲詢（問親戚之義）咨禮爲度（問禮宜）咨事爲諏（問政事）咨難爲謀（問患難〔難〕乃旦切）臣獲五善敢不重拜（五善爲諮詢度諏謀）○秋定姒薨不殯于廟無櫬不虞（櫬親身棺季孫以定姒本賤既無器備議其喪制欲殯不過廟又不反哭〔過〕古禾切）匠慶謂季文子（匠慶魯大匠）曰子爲正卿而小君之喪不成（謂如季孫所議則爲夫人禮不成）不終君也（慢其母是不終事君之道）君長誰受其咎（言襄公長將責季孫〔長〕丁丈切）初季孫爲己樹六檟於蒲圃東門之外（蒲圃場圃名季文子樹檟欲自爲櫬〔爲〕于僞切下注爲定姒爲言執事同〔圃〕市古切〔場〕直良切）匠慶請木（爲定姒作櫬）季孫曰略（不以道取爲略）匠慶用蒲圃之檟季孫不御（御止也傳言遂得成禮故經無異文〔御〕魚呂切）君子曰志所謂多行無禮必自及也其是之謂乎○冬公如晉聽政（受貢賦多少之政）晉侯享公公請屬鄫（鄫小國也欲得使屬魯如須句顓臾之比使助魯出貢賦公時年七歲蓋相者爲之言鄫今琅邪鄫縣〔句〕其俱切〔顓〕音專〔臾〕羊朱切〔比〕必二切〔相〕息亮切）晉侯不許孟獻子曰以寡君之密邇於仇讎而願固事君無失官命（晉官徵發之命）鄫無賦於司馬（晉司馬又掌諸侯之賦）爲執事朝夕之命敝邑敝邑褊小闕而爲罪（闕不共也〔朝〕如字〔爲〕必僞切〔共〕音恭）寡君是以願借助焉（借鄫以自助〔借〕子亦切注同）晉侯許之（爲明年叔孫豹鄫世子巫如晉傳）○楚人使頓間陳而侵伐之故陳人圍頓（間間伺間缺〔間〕間廁之間〔伺〕音司下〔間〕音閑又間廁之間又如字）○無終子嘉父使孟樂如晉（無終山戎國名孟樂其使臣〔使〕所吏切）因魏莊子納虎豹之皮以請和諸戎（欲戎與晉和莊子魏絳）晉侯

曰戎狄無親而貪不如伐之魏絳曰諸侯新服陳新來和將觀於我我德則睦否則攜貳勞師於戎而楚伐陳必弗能救是棄陳也諸華必叛（諸華中國）戎禽獸也獲戎失華無乃不可乎夏訓有之曰有窮后羿（夏訓夏書有窮國名后君也羿有窮君之號〔夏〕戶雅切〔羿〕音詣）公曰后羿何如（怪其言不次故問之）對曰昔有夏之方衰也后羿自鉏遷于窮石因夏民以代夏政（[illegible]孫大康淫放失國夏人立其弟仲康仲康亦微弱仲康卒子相立羿遂代相號曰有窮鉏羿本國名〔鉏〕仕居切〔大〕音泰〔相〕息亮切）恃其射也（羿善射）不脩民事而淫于原獸（淫放原野）棄武羅伯因熊髡尨圉（四子皆羿之賢臣〔髡〕苦門切〔尨〕莫邦切〔圉〕魚呂切）而用寒浞寒浞伯明氏之讒子弟也（寒國北海平壽縣東有寒亭伯明其君名〔浞〕仕角切）伯明后寒棄之夷羿收之（夷氏）信而使之以爲己相浞行媚于內（內言人）而施賂于外愚弄其民（欺罔之）而虞羿于田（樂之以遊田〔樂〕音洛下樂安同）樹之詐慝以取其國家（樹立也〔慝〕他得切後同）外內咸服（信浞詐）羿猶不悛（悛改也〔悛〕七全切）將歸自田（羿獵還）家衆殺而亨之以食其子（食羿子〔亨〕普彭切責也〔食〕音嗣）其子不忍食諸死于窮門（殺之於國門）靡奔有鬲氏（靡夏遺臣事羿者有鬲國名今平原鬲縣〔鬲〕音革）浞因羿室（就其妃妾）生澆及豷恃其讒慝詐僞而不德于民使澆用師滅斟灌及斟尋氏（二國夏同姓諸侯仲康之子后相所依樂安壽光縣東南有灌亭北海平壽縣東南有斟亭〔澆〕五弔切〔豷〕許器切〔斟〕之林切〔灌〕古亂切）處澆于過處豷于戈（過戈皆國名東萊掖縣北有過鄉戈在宋鄭之間〔過〕古禾切注及下同〔戈〕古禾切〔掖〕音亦漢書作夜孟康音掖）靡自有鬲氏收二國之燼（燼遺民〔燼〕才刃切）以滅浞而立少康（少康夏后相之子〔少〕詩照切）少康滅澆于過后杼滅豷于戈（后杼少康子〔杼〕直呂切）有窮由是遂亡失人故也（浞因羿室故不改有窮之號）

昔周辛甲之爲大史也命百官官箴王闕（辛甲周武王大史闕過也使百官各爲箴辭戒王過〔箴〕之林切）於虞人之箴曰（虞人掌田獵）芒芒禹跡畫爲九州（芒芒遠貌畫分也〔芒〕莫郎切〔畫〕乎麥切）經啓九道（啓開九州之道）民有寢廟獸有茂草各有攸處德用不擾（人神各有所歸故德不亂攸處如字本或作攸家〔擾〕如小切）在帝夷羿冒于原獸（冒貪也〔冒〕莫報切又亡北切）忘其國恤而思其麀牡（言但念獵〔麀〕音憂麀牡也〔茂〕茂后切）武不可重（重猶數也〔重〕直用切〔數〕所角切）用不恢于夏家（羿以好武雖有夏家而不

能恢大之恢苦回切獸臣司原敢告僕夫獸臣虞人告僕夫不敢斥尊虞箴如是可不
懲乎於是晉侯好田故魏絳及之及后羿事好呼報切懲直升切公曰然則莫
如和戎乎對曰和戎有五利焉戎狄荐居貴貨易土荐聚也易猶輕也荐
於薦切又才遜切或云草也易以豉切徐神豉切土可賈焉一也邊鄙不聳民狎其野
穡人成功二也聳懼狎習也賈音古聳息勇切戎狄事晉四鄰振動諸侯威懷
三也以德綏戎師徒不勤甲兵不頓四也頓壞也鑒于后羿而用
德度以后羿爲鑒戒遠至邇安五也君其圖之公說使魏絳盟諸戎脩
民事田以時傳言晉侯能用善謀說音悅○冬十月邾人莒人伐鄫臧紇救
鄫侵邾敗于狐駘臧紇武仲也鄫屬魯故救之狐駘邾地魯國蕃縣東南有目台亭紇根發切駘徒來切徐
勑才切蕃本又作蕃應劭音皮一音方袁切自褒魯國記云陳子遊爲魯相蕃子也國人爲諱改曰皮也台吐才切國人
逆喪者皆髽魯於是乎始髽髽麻髮合結也遭喪者多故不能備凶服髽而已髽側瓜切結音計
本又作髽又作紒音同國人誦之曰臧之狐裘敗我於狐駘臧紇時服狐裘我君
小子朱儒是使朱儒朱儒使我敗於邾襄公幼弱故曰小子臧紇短小故曰朱儒敗不

書魯人諱之朱本或作侏亦音朱
經五年春公至自晉○夏鄭伯使公子發來聘發子產父○叔孫豹
鄫世子巫如晉此魯大夫故書巫如晉巫亡扶切○仲孫蔑衛孫林父會吳于
善道魯衛俱受命於晉故不言及吳先在善道二大夫往會之故曰會吳善道地闕○秋大雩○楚殺
其大夫公子壬夫書名罪其貪○公會晉侯宋公陳侯衛侯鄭伯曹
伯莒子邾子滕子薛伯齊世子光吳人鄫人于戚穆叔使鄫人聽命于會故
鄫見經不復殊吳者吳來會于戚見賢遍切復扶又切○公至自會無傳○冬戍陳諸侯在戚會皆
受命戍陳各還國遣戍不復有告命故獨書魯戍○楚公子貞帥師伐陳○公會晉侯
宋公衛侯鄭伯曹伯齊世子光救陳○十有二月公至自救陳
無傳○辛未季孫行父卒
傳五年春公至自晉公在晉既聽屬鄫聞其見伐遙命臧紇出救故傳稱經公至以明之○王使
王叔陳生愬戎于晉王叔周卿士也戎陵虣周室故告愬盟主愬悉路切虣白報切晉人執
之士魴如京師言王叔之貳於戎也王叔反有二心於戎夫奉使之義故晉執之使所吏

切○夏鄭子國來聘通嗣君也鄭僖公初即位○穆叔覿鄫大子于晉
以成屬鄫覿見也前年請屬鄫故將鄫大子巫如晉以成之覿直歷切見賢遍切書曰叔孫豹鄫
大子巫如晉言比諸魯大夫也豹與巫俱受命於魯故經不書及比之魯大夫○吳子
使壽越如晉壽越吳大夫辭不會于雞澤之故三年會雞澤吳不至今來謝之且請
聽諸侯之好更請會好呼報切晉人將爲之合諸侯使魯衛先會吳且
告會期以其道遠故使魯衛先告期爲于僞切故孟獻子孫文子會吳于善道二子
皆受晉命而行○秋大雩旱也雩夏祭所以祈甘雨若旱則又脩其禮故雖秋雩非書過也然經與過雩同文
是以傳每釋之曰旱也雩而獲雨故書雩而不書旱○楚人討陳叛故討治也曰由令尹子
辛實侵欲焉乃殺之書曰楚殺其大夫公子壬夫貪也君子謂
楚共王於是不刑陳之叛楚罪在子辛共王既不能素明法教陳叛之日又不能嚴斷威刑以謝小國而擁
其罪人與兵致討加禮於陳而陳恨彌篤乃怨而歸罪子辛子辛之貪雖足以取死然共王用刑爲失其節故言不刑共音恭
斷丁亂切詩曰周道挺挺我心扃扃講事不令集人來定逸詩也挺挺正直也
扃扃明察也講謀也言謀事不善當聚致賢人以定之挺他頂切扃工迥切徐孔穎切已則無信而殺人

以逞不亦難乎共王伐宋封魚石背盟敗于鄢陵殺子反公子申及壬夫八年之中戮殺三卿欲以屬諸侯故
君子以爲不可背音佩○夏書曰成允成功逸書也允信也言信成然後有成功○九月丙
午盟于戚會吳且命戍陳也公及其會而不書盟非公後會蓋不以盟告廟穆叔以屬
鄫爲不利使鄫大夫聽命于會鄫近魯竟故欲以爲屬國既而與莒有怨魯不能救恐致譴責
故復乞還之傳言鄫人所以見於戚會近附近之近下陳近同竟音境譴棄戰切復扶又切見賢遍切○楚子囊
爲令尹公子貞囊乃郎切范宣子曰我喪陳矣楚人討貳而立子囊必
改行改子辛所行喪息浪切行如字徐下孟切而疾討陳疾急也陳近於楚民朝夕急
能無往乎有陳非吾事也無之而後可言晉力不能及陳故七年陳侯逃歸朝夕如字
冬諸侯戍陳備楚子囊伐陳十一月甲午會于城棣以救之公及救陳
而不及會故不書城棣鄭地陳留酸棗縣西南有棣城棣力計切又徒妹切○季文子卒大夫入
斂公在位在阼階西鄉斂力鹽切鄉許亮切宰庀家器爲葬備庀具也庀匹婢切無衣
帛之妾無食粟之馬無藏金玉無重器備器備謂珍寶甲兵之物衣於既切食如字
又音嗣重如字又直龍切君子是以知季文子之忠於公室也相三君矣而

無私積可不謂忠乎相息亮切積子賜切

經六年春王三月壬午杞伯姑容卒○夏宋華弱來奔華椒孫○秋葬杞桓公無傳○滕子來朝○莒人滅鄫○冬叔孫豹如邾○季孫宿如晉行父之子○十有二月齊侯滅萊書十二月從告

傳六年春杞桓公卒始赴以名同盟故也杞入春秋未嘗書名桓公三與成同盟故赴以名○宋華弱與樂轡少相狎長相優又相謗也狎親習也優調戲也少詩照切狎乃甲切長丁丈切調徒弔切子蕩怒以弓梏華弱于朝子蕩樂轡也張弓以貫其頸若械之在手故曰梏梏古毒切貫古亂切平公見之曰司武而梏於朝難以勝矣司武司馬言其懦弱不足以勝敵懦乃亂切又乃臥切遂逐之夏宋華弱來奔司城子罕曰同罪異罰非刑也專戮於朝罪孰大焉亦逐子蕩子蕩射子罕之門曰幾日而不我從言我射女門女亦當以不勝任見逐射食亦切幾居豈切女音汝勝音升子罕善之如初言子罕雖見辱不追忿所以得安○秋滕成公來朝始朝公也○莒人滅鄫鄫恃賂也鄫有貢賦之賂在魯恃之而慢莒故滅之○冬穆叔如邾聘且脩

平四年狐駘戰○晉人以鄫故來討曰何故亡鄫鄫屬魯恃賂而慢莒魯不致力輔助無何以還晉尋便見滅故晉責魯○季武子如晉見且聽命始代父為卿見大國且謝亡鄫聽命受罪見賢遍切○十一月齊侯滅萊萊恃謀也賂夙沙衛之謀也事在二年於鄭子國之來聘也四月晏弱城東陽而遂圍萊子國聘在五年二年晏弱城東陽至五年四月復託治城因遂圍萊復扶又切甲寅堙之環城傅於堞堞女牆也堙土山也周城為土山及女牆堙音因環戶關切又音患傅音附堞音牒一名婢亦謂之俾倪徐養涉切及杞桓公卒之月此年三月乙未王湫帥師及正輿子棠人軍齊師王湫故齊人成十八年奔萊正輿子萊大夫棠萊邑也此海即墨縣有棠鄉三人帥別邑兵來解圍湫子小切徐子鳥切齊師大敗之敗湫等丁未入萊萊共公浮柔奔棠正輿子王湫奔莒莒人殺之四月陳無宇獻萊宗器于襄宮無宇桓子陳完玄孫襄宮齊襄公廟共音恭晏弱圍棠十一月丙辰而滅之遷萊于郳遷萊子于郳國郳五兮切本或作遷于郳萊衍字高厚崔杼定其田定其疆界高厚高固子疆居良切

經七年春郯子來朝○夏四月三卜郊不從乃免牲稱牲既卜日也卜郊

又非禮也郯音談○小邾子來朝○城費南遺假事難而城之費音秘難乃旦切○秋季孫宿如衛○八月螽無傳為災故書○冬十月衛侯使孫林父來聘○壬戌及孫林父盟○楚公子貞帥師圍陳○十有二月公會晉侯宋公陳侯衛侯曹伯莒子于鄬謀救陳陳侯逃歸不成救故不書救也鄬鄭地鄬于軌切字林几吹切○鄭伯髡頑如會未見諸侯丙戌卒于鄵實為子駟所弒以瘧疾赴故不書弒稱名為書卒同盟故也如會會於鄬也未見諸侯未至會所而死鄵鄭地不欲再稱鄭伯故約文上其名於會上鄵七報切又采南切字林千消切弒音試為于偽切上時掌切○陳侯逃歸畏楚逃晉而歸

傳七年春郯子來朝始朝公也○夏四月三卜郊不從乃免牲孟獻子曰吾乃今而後知有卜筮夫郊祀后稷以祈農事也郊祀后稷以配天后稷周始祖能播殖者是故啓蟄而郊郊而後耕今既耕而卜郊宜其不從也啓蟄夏正建寅之月耕謂春分蟄直立切夏戶雅切○南遺為費宰費季氏邑叔仲昭伯為隧正隧正主役徒昭伯叔仲惠伯之孫隧音遂欲善季氏而求媚於南遺謂遺請城費使遺請城吾多與而役故季氏城費傳言祿去公室季氏所以強○小邾穆公來朝亦始朝公也亦郯子也○秋季武子如衛報子叔之聘且辭緩報非貳也子叔聘在元年言國家多難故不時報難乃旦切○冬十月晉韓獻子告老公族穆子有廢疾穆子韓厥長子成十八年為公族大夫長丁丈切下師長同將立之代厥為卿辭曰詩曰豈不夙夜謂行多露詩言雖欲早夜而行懼多露之濡已義取非禮不可妄行又曰弗躬弗親庶民弗信詩小雅言譏在位者不躬親政事則庶民不奉信其命言已有疾不能躬親政事無忌不才讓其可乎請立起也無忌穆子名起無忌弟宣子也與田蘇游而曰好仁田蘇晉賢人蘇言起好仁好呼報切詩曰請共爾位好是正直神之聽之介爾景福請安也介助也景大也詩小雅言君子當思不出其位求正直之人與之並立如是則神明順之致大福也共音恭介音界恤民為德請共其位所以恤民正直為正正己心正曲為直正人曲參和為仁德正直三者備乃為仁參七南切或音三如是則神聽之介福降之立之不亦可乎言起有此三德故可立庚戌使宣子朝遂老韓厥致仕晉侯謂韓無忌仁使掌公族大夫為之師長○衛孫文子來聘且拜武子之言緩報非貳之言而尋孫桓子之盟盟在成三年公登亦登禮登階臣後君一等後胡

豆切叔孫穆子相趨進曰諸侯之會寡君未嘗後衛君敵體並登（相）息亮切
下駟相同（後）如字徐胡豆切今吾子不後寡君寡君未知所過吾子其少安
安徐也孫子無辭亦無悛容悛改也（悛）七全切穆叔曰孫子必亡為臣而
君過而不悛亡之本也詩曰退食自公委蛇委蛇委蛇順貌詩召南言人臣
自公門入私門無不順禮（委）於危切（蛇）以支切（召）上照切謂從者也從順行衡而委蛇必折衡橫
也橫不順道必毀折為十四年林父逐君起本○楚子囊圍陳會于鄬以救之晉會諸侯○
鄭僖公之為大子也於成之十六年魯成公與子罕適晉不禮焉
又與子豐適楚亦不禮焉子豐穆公子及其元年朝于晉鄭僖元年魯襄三年
子豐欲愬諸晉而廢之子罕止之及將會于鄬子駟相又不禮
焉侍者諫不聽又諫殺之及鄬子駟使賊夜弒僖公而以瘧疾
赴于諸侯傳言經所以不書弒簡公生五年奉而立之僖公子○陳人患楚楚圍
陳故慶虎慶寅謂楚人曰吾使公子黃往而執之二慶陳執政大夫公子黃哀公
弟楚人從之為執黃（為）于偽切二慶使告陳侯于會鄬之會曰楚人執公
子黃矣君若不來羣臣不忍社稷宗廟懼有二圖背君屬楚（背）音佩陳

侯逃歸鄬會所以不書救
經八年春王正月公如晉○夏葬鄭僖公無傳○鄭人侵蔡獲蔡
公子燮鄭子國稱人剌其無故侵蔡以生國患燮蔡莊公子（燮）悉協切○季孫宿會晉侯鄭伯
齊人宋人衛人邾人于邢丘時公在晉晉悼難勞諸侯唯使大夫聽命故季孫在會而公先歸（邢）
音刑（難）乃旦切○公至自晉無傳○莒人伐我東鄙○秋九月大雩○冬
楚公子貞帥師伐鄭○晉侯使士匄來聘
傳八年春公如晉朝且聽朝聘之數晉悼復脩霸業故朝而稟其多少（復）扶又切（霸）本亦
作伯音霸又如字○鄭羣公子以僖公之死也謀子駟子駟先之夏四
月庚辰殺子狐子熙子侯子丁辟罪也加罪以戮之（先）悉薦切又如字（辟）婢亦切（熙）許其切徐
音怡孫擊孫惡出奔衛二孫子狐之子○庚寅鄭子國子耳侵蔡獲蔡司
馬公子燮鄭侵蔡欲以求媚於晉子耳子良之子不言敗唯以獲告鄭人皆喜唯子產不順
子產子國子不順眾而喜曰小國無文德而有武功禍莫大焉楚人來討能

曰小國無文德而有武功禍莫大焉楚人來討

孫擊孫惡出奔衛○庚寅

月庚辰鄭伯于鄵丁四

八年春公如晉朝且聽朝聘之數

楚公子貞帥師伐鄭○晉侯使士匄來聘

齊人宋人衛人邾人于邢丘

八年春王正月公如晉○夏葬鄭僖公○鄭人侵蔡

楚人從之

○冬

勿從乎從之晉師必至晉楚伐鄭自今鄭國不四五年弗得寧矣子國怒之曰爾何知國有大命而有正卿童子言焉將為戮矣大命起師行軍之命○五月甲辰會于邢丘以命朝聘之數使諸侯之大夫聽命季孫宿齊高厚宋向戌衛甯殖邾大夫會之晉難重煩諸侯故使大夫聽命鄭伯獻捷于會故親聽命獻蔡捷也大夫不書尊晉侯也晉悼復文襄之業制朝聘之節儉而有禮德義可尊故退諸侯大夫以崇之○莒人伐我東鄙以疆鄫田莒既滅鄫魯侵其西界故伐魯東鄙以正其封疆疆居良切○秋九月大雩旱也○冬楚子囊伐鄭討其侵蔡也子駟四子國子耳欲從楚子孔子蟜子展欲待晉待晉來救子孔穆公子子蟜子游子展子罕子蟜居表切子駟四曰周詩有之曰俟河之清人壽幾何逸詩也言人壽促而河清遲喻晉之不可待壽音授或如字幾居豈切兆云詢多職競作羅兆卜詢謀也職主也言既卜且謀多則競作羅網之難無成功難乃旦切謀之多族民之多違族家也事滋無成滋益也民急矣姑從楚以紓吾民晉師至吾又從之敬共幣帛以待來者小國之道也犧牲玉帛待於二竟二竟晉楚界上紓音舒共音恭竟音境注同以待彊者而庇民焉寇不為害民不罷病不亦可乎子展曰小所以事大信也小國無信兵亂日至亡無日矣五會之信謂三年會雞澤五年會戚又會城棣七年會鄬八年會邢丘戚必利切又音秘罷音皮今將背之雖楚救我將安用之言失信得楚不足貴背音佩親我無成晉親鄭鄙我是欲楚欲以鄭為鄙邑而反欲與成不可從也言子駟不可從不如待晉晉君方明四軍無闕八卿和睦必不棄鄭四軍謂上中下新軍也軍有二卿楚師遼遠糧食將盡必將速歸何患焉舍之聞之舍之子展名杖莫如信完守以老楚杖信以待晉不亦可乎子駟四曰詩云謀夫孔多是用不集詩小雅孔甚也集就也言人欲為政是非相亂而不成就直亮切守手又切或如字下守官同發言盈庭誰敢執其咎言謀者多若有不善無適受咎咎其九切適丁歷切如匪行邁謀是用不得于道匪彼也行邁謀謀於路人也不得于道衆無適從請從楚騑也受其咎騑子駟名騑芳非切乃及楚平使王子伯騈告于晉伯騈晉大夫騈扶賢切又扶經切曰君命敝邑脩而車賦儆而師徒以討亂略蔡人不從敝邑之人不敢寧

處悉索敝賦（索盡也〔敝〕居領切〔索〕悉各切又所百切）以討于蔡獲司馬燮獻于邢

丘今楚來討曰女何故稱兵于蔡（稱舉也〔女〕音汝）焚我郊保（郭外曰郊保守也）

馮陵我城郭（馮迫也〔馮〕皮冰切）敝邑之衆夫婦男女不皇啓處以相救

也（皇暇也啓跪也〔跪〕其委切）翦焉傾覆無所控告（翦盡也控引也〔翦〕芳服切〔控〕苦貢切）民死亡

者非其父兄即其子弟夫人愁痛（夫人猶人人也〔夫〕音扶）不知所庇民知

窮困而受盟于楚孤也與其二三臣不能禁止（孤鄭伯）不敢不告

知武子使行人子員對之曰君有楚命（見討之命）亦不使一个行李

告于寡君（一个獨使也行李行人也〔个〕古賀切〔使〕所吏切）而即安于楚君之所欲也誰

敢違君寡君將帥諸侯以見于城下唯君圖之（為明年晉伐鄭傳〔見〕賢遍切〔帥〕如

字）○晉范宣子來聘且拜公之辱（謝公此春朝）告將用師于鄭公享

之宣子賦摽有梅（摽有梅詩召南摽落也梅盛極則落詩人以興女色盛則有衰衆士求之宜及其時宣子

欲魯及時共討鄭取其汲汲相赴〔摽〕徐扶妙切又扶表切〔興〕許應切）季武子曰誰敢哉（言誰敢不從命）今

譬於草木寡君在君君之臭味也（言同類〔譬〕本亦作辟音譬後放此）歡以承命

何時之有（逞速無時）武子賦角弓（角弓詩小雅取其兄弟婚姻無相遠矣）賓將出武子

賦彤弓（彤弓天子賜有功諸侯之詩欲使晉君繼文之業復受彤弓於王〔彤〕徒冬切〔復〕扶又切）宣子曰城

濮之役（在僖二十八年〔濮〕音卜）我先君文公獻功于衡雍受彤弓于襄王

以為子孫藏（藏之以示子孫〔為〕於用切〔藏〕如字徐才浪切）匄也先君守官之嗣也敢

不承命（言已嗣其父祖為先君守官不敢廢命欲拜晉君）君子以為知禮（彤弓之義在晉君故范

匄受之所謂知禮）

經九年春宋災（天火曰災來告故書）○夏季孫宿如晉○五月辛酉夫人

姜氏薨（成公母）○秋八月癸未葬我小君穆姜（無傳四月而葬速）○冬公

會晉侯宋公衛侯曹伯莒子邾子滕子薛伯杞伯小邾子齊世

子光伐鄭○十有二月己亥同盟于戲（伐鄭而書同盟則鄭受盟可知傳言十一月己

亥以長曆推之十二月無己亥經誤戲鄭地〔戲〕許宜切）○楚子伐鄭

傳九年春宋災樂喜為司城以為政（樂喜子罕也為政卿知將有火災素戒為備火之政）

使伯氏司里（伯氏宋大夫司里里宰）火所未至徹小屋塗大屋（大屋難徹就塗之）

陳畚挶具綆缶畚簣籠挶土轝綆汲索缶汲器畚音本草器也挶几錄切綆古杏切缶方九切簣其位切籠力
東切轝音預汲音急索悉各切備水器盆甖之屬甖戶暫切量輕重計人力所任任音壬蓄水潦積
土塗巡丈城繕守備巡行也丈度也繕治也行度守備之處恐因災作亂畜本又作蓄勑六切潦音老守
手又切行下孟切度待洛切處昌慮切表火道火起則從其所趣標表之標必遙切使華臣具正徒
華臣華元子為司徒正徒役徒也司徒之所主也令隧正納郊保奔火所隧正官名也五縣為隧納
聚郊野保守之民使隨火所起往救之隧音遂使華閱討右官庀其司亦華元子代元為右師討
治也庀具也使具其官屬閱音悅庀芳婢切向戌討左亦如之向戌左師使樂遄庀刑器
樂遄司寇刑器刑書遄市專切亦如之使皇鄖命校正出馬工正出車備甲兵
庀武守皇鄖皇父充石之後校正主馬工正主車使各備其官鄖音云本亦作員音同校戶教切出如字徐尺遂切守
手又切使西鉏吾庀府守鉏吾大宰也府六官之典吾音魚令司宮巷伯儆宮司宮
奄臣巷伯寺人皆掌宮內之事儆音景二師令四鄉正敬享二師左右師也鄉正鄉大夫享祀也祝
宗用馬于四墉祀盤庚于西門之外祝大祝宗宗人墉城也用馬祭于四城以禳火盤庚
殷王宋之遠祖城積陰之氣故祀之凡天災有幣無牲用馬祀盤庚皆非禮墉本又作庸音同盤字亦作般步干切禳如羊切

晉侯問於士弱弱士渥濁之子莊子渥於角切曰吾聞之宋災於是乎知有天
道何故問宋何故自知天道將災對曰古之火正或食於心或食於咮以出
內火是故咮為鶉火心為大火謂火正之官配食於火星建辰之月鶉火星昏在南方則令民
放火建戌之月大火星伏在日下夜不得見則令民內火禁放火咮竹又切徐丁遘切出如字徐尺遂切內如字徐音納鶉音
純見如字又賢遍切陶唐氏之火正閼伯居商丘陶唐堯有天下號高辛氏之子傳曰遷閼
伯於商丘主辰辰大火也今為宋星然則商丘在宋地閼於葛切祀大火而火紀時焉謂出內火時
相土因之故商主大火相土契孫商之祖也始代閼伯之後居商丘祀大火相息亮切契息列切商
人閱其禍敗之釁必始於火是以日知其有天道也閱猶數也商人數所
更歷恆多火災宋是殷商之後故知天道之災必火釁許靳切數所主切更音庚公曰可必乎對曰在
道國亂無象不可知也言國無道則災變亦殊故不可必知○夏季武子如晉報
宣子之聘也宣子聘在八年○穆姜薨於東宮太子宮也穆姜淫僑如欲廢成公故徙居東宮
事在成十六年始往而筮之遇艮之八䷳艮下艮上周禮大卜掌三易然則雜用連山歸藏周易二
易皆以七八為占故言遇艮之八艮古恨切史曰是謂艮之隨䷐震下兌上隨史疑古易遇八為不利

故更以周易占變爻得隨卦而論之隨其出也史謂隨非閉固之卦君必速出姜曰亡亡猶無也
亡如字讀者或音無是於周易曰隨元亨利貞無咎易筮皆以變者占遇一爻變義異則論彖
故姜亦以彖爲占也史據周易故指言周易以折之亨許庚切彖吐亂切折之設切元體之長也亨嘉之
會也利義之和也貞事之幹也體仁足以長人嘉德足以合禮
利物足以和義貞固足以幹事然故不可誣也是以雖隨無咎
言不誣四德乃遇隨無咎明無四德者則爲淫而相隨非吉事長丁丈切嘉德易作嘉會今我婦人而與於
亂固在下位婦人卑於大夫與音預而有不仁不可謂元不靖國家不可
謂亨作而害身不可謂利棄位而姣姣淫之別名姣戶交切徐音如字服氏同嵇叔夜音
效不可謂貞有四德者隨而無咎我皆無之豈隨也哉我則取
惡能無咎乎必死於此弗得出矣傳言穆姜辯而不德○秦景公使士雃
乞師于楚將以伐晉楚子許之子囊曰不可當今吾不能與晉
爭晉君類能而使之隨所能雃苦田切舉不失選得所選選息戀切官不易方
方猶宜也其卿讓於善讓勝己者其大夫不失守各任其職其士競於教奉上命

其庶人力於農穡種曰農收曰穡商工皂隸不知遷業四民不雜韓厥老矣
知罃稟焉以爲政代將中軍范匄少於中行偃而上之使佐中軍使匄
佐中軍偃將上軍少詩照切行戶郎切韓起少於欒黶而欒黶士魴上之使佐上
軍欒黶讓起起佐上軍黶將下軍魴佐之黶於斬切魏絳多功以趙武爲賢而爲之佐
武新軍將將子匠切君明臣忠上讓下競尊官相讓勞職力競當是時也晉不可敵
事之而後可君其圖之王曰吾既許之矣雖不及晉必將出師
秋楚子師于武城以爲秦援秦人侵晉晉饑弗能報也爲十年晉伐秦
傳饑音飢又音機○冬十月諸侯伐鄭鄭從楚也庚午季武子齊崔杼宋皇
鄖從荀罃士匄門于鄟門鄟門鄭城門也三國從中軍鄟音專本亦作專衛北宮括曹人
邾人從荀偃韓起門于師之梁師之梁亦鄭城門三國從上軍滕人薛人從欒
黶士魴門于北門二軍從下軍杞人郳人從趙武魏絳斬行栗二國從新
軍行栗表道樹行栗如字甲戌師于氾衆軍還聚氾氾鄭地東氾氾音凡令於諸侯曰脩器
備兵器戰備盛餱糧餱乾食盛音成餱音侯歸老幼示將久師居疾于虎牢諸侯已取鄭虎

牢故使諸軍疾病息其中肆眚圍鄭肆緩也眚過也不書圍鄭逆服不成圍眚生領切徐所幸切鄭人恐
乃行成與晉成也恐丘勇切中行獻子曰遂圍之以待楚人之救也而與
之戰不然無成獻子荀偃也恐楚救鄭後屬之復扶又切知武子曰許之盟而還
師以敝楚人敝罷也罷音皮吾三分四軍分四軍為三部與諸侯之銳以逆來
者來者楚也於我未病楚不能矣晉各一動而楚三來故曰不能猶愈於戰勝聚戰暴
骨以逞不可以爭言爭當以謀不可以暴骨暴蒲卜切徐扶沃切爭爭鬭之爭又如字大勞未艾
君子勞心小人勞力先王之制也艾息也言當從勞心之勞艾魚廢切又五蓋切諸侯
皆不欲戰乃許鄭成十一月己亥同盟于戲鄭服也鄭服故言同盟將
盟鄭六卿公子騑子駟公子發子國公子嘉子孔公子輒子耳公孫蠆子蟜
蠆勑邁切公孫舍之子展及其大夫門子皆從鄭伯門子卿之適子從才用切適丁歷切
晉士莊子為載書莊子士弱載書盟書曰自今日既盟之後鄭國而不唯
晉命是聽而或有異志者有如此盟如違盟之罰公子騑趨進曰天
禍鄭國使介居二大國之間介猶間也介音界間間厠之間又如字大國不加德

音而亂以要之謂以兵亂之力強要鄭要一遙切強其丈切使其鬼神不獲歆其禋
祀其民人不獲享其土利夫婦辛苦墊隘無所厎告墊隘猶委頓厎至也
歆許今切墊丁念切隘於懈切厎音旨自今日既盟之後鄭國而不唯有禮與彊
可以庇民者是從而敢有異志者亦如之亦如此盟庇必利切荀偃曰改
載書子駟亦以所言載於策故欲改之公孫舍之曰昭大神要言焉要誓以告神若
可改也大國亦可叛也知武子謂獻子曰我實不德而要人以
盟豈禮也哉非禮何以主盟姑盟而退脩德息師而來終必獲
鄭何必今日我之不德民將棄我豈唯鄭若能休和遠人將至
何恃於鄭乃盟而還遂兩用載書休許虯切晉人不得志於鄭以諸侯復
伐之十二月癸亥門其三門三門鄟門師之梁北門也癸亥月五日晉果三分其軍各攻一門復
扶又切閏月戊寅濟于陰阪侵鄭以長歷參校上下此年不得有閏月戊寅是十二月二十
日疑閏月當為門五日五字上與門合為閏則後學者自然轉日為月晉人三番四軍更攻鄭門門各五日晉各一攻鄭三受
敵欲以苦之癸亥去戊寅十六日以癸亥始攻攻輒五日凡十五日鄭故不服而去明日戊寅濟于陰阪復侵鄭外邑陰阪有

津閏月依注讀爲門五日阪音反又扶板反潘芳元反𨵫音庚復扶又反洧于軌反次于陰口而還陰口鄭地

名子孔曰晉師可擊也師老而勞且有歸志必大克之子展曰

不可傳言子展能守信公送晉侯晉侯以公宴于河上問公年季武

子對曰會于沙隨之歲寡君以生沙隨在成十六年晉侯曰十二年矣

是謂一終一星終也歲星十二歲而一周天國君十五而生子冠而生子

礼也冠成人之服故必冠而後生子冠古乱反注下皆同【重旬】礼也詳見隱公元年君可以冠矣大夫

盍爲冠具武子曰君冠必以祼享之礼行之祼謂灌鬯酒也享祭先君也盡户臘

反祼古乱反灌古亂反鬯勅亮反以金石之樂節之以鐘磬爲舉動之節以先君之祧處

之諸侯以始祖之廟爲祧祧他彫反今寡君在行未可具也請及兄弟之國而

假備焉晉侯曰諾公還及衛冠于成公之廟成公今衛獻公之曾祖從衛所處

假鐘磬焉礼也。楚人伐鄭與晉成故子駟將及楚平子孔子蟜曰

與大國盟口血未乾而背之可乎子駟子展曰吾盟固云唯彊

是從今楚師至晉不我救則楚彊矣盟誓之言豈敢背之且要

盟无質神弗臨也質主也所臨唯信信者言之瑞也瑞符也善之主

也是故臨之神臨之明神不蠲要盟蠲絜也背之可也乃及楚平公

子罷戎入盟同盟于中分中分鄭城中里名罷戎楚大夫罷音皮徐音彼中分並如字徐丁仲反【重】

【言】乃及楚平三文公九年襄公九年楚莊夫人卒共王母王未能定鄭而歸。晉侯

歸謀所以息民魏絳請施舍施恩惠舍勞役輸積聚以貸輸盡也積子賜反下同聚

才住反貸他代反自公以下苟有積者盡出之國無滯積散在民亦無困

人不匱之公無禁利与民共亦無貪民礼讓行所以幣更不用牲賓以特

牲務崇省省所景反器用不作因仍舊車服從給足給事也行之期年國乃有

節三駕而楚不能與爭三駕三興師謂十年師于牛首十一年師於向其秋觀兵於鄭東門自是鄭遂

服朞音基本亦作朞向舒亮反

纂圖互注春秋經傳集解襄元第十四